B E R L I N
FÜR JUNGE LEUTE

Zur schnellen Übersicht:

Informationszentrum Berlin

Herausgeber: Informationszentrum Berlin
Verantwortlich: Ernst Luuk
Redaktion:
Informationszentrum Berlin (Horst Peter Schaeffer),
Nicolaische Verlagsbuchhandlung (Eberhard Franke, Konrad Beck)
und FAB Verlagsservice (Günther Fannei, Dr. Brigitte Walz)
Umschlaggestaltung, Illustrationen und Layout: Uli Mayer
Daumenkino: Erich Rauschenbach
Pläne: Ingo Naroska
Stadtpläne auf den inneren Umschlagseiten: Landkartenverlag
Richard Schwarz Nachf.
Satz: FAB Verlagsservice, Berlin
Offsetlithos: O.R.T. Kirchner & Graser GmbH, Berlin
Druck und Bindung: Elsnerdruck, Berlin
8. überarbeitete und erweiterte Auflage 1989
© Informationszentrum Berlin 1981
Printed in Germany
Hergestellt von der Nicolaischen Verlagsbuchhandlung
Beuermann GmbH, Berlin
Alle Angaben ohne Gewähr

I N H A L T

Vorwort

Berlin ist eine der interessantesten Städte in Europa. Jedes Jahr lernen mehrere hunderttausend junge Leute Berlin während eines Studienaufenthaltes kennen.

Umgeben von der DDR, geteilt durch die Mauer, erreichbar nur über Transitwege oder durch die Luft, geprägt von der geschichtlichen Entwicklung und den Vereinbarungen der Vier Mächte aus der Kriegs- und Nachkriegszeit, ist die Stadt in einer einmaligen Situation.

Aber Berlin ist nicht nur politisch gesehen ein guter Platz zum Sammeln von neuen Eindrücken und Erfahrungen. Das kulturelle Leben ist vielseitig und aufregend. Theater, Museen, Musik, das künstlerische Schaffen halten jedem kritischen Vergleich mit anderen Metropolen stand. Dabei ist Berlin mehr als jede andere eine Stadt der Gegensätze und Kontraste:

Kurfürstendamm und märkische Landschaft, Weltoffenheit und Abgeschiedenheit bilden Spannungsbögen, die ebenso verwirrend wie anziehend wirken.

Wie andere große Städte auch macht Berlin es seinen Besuchern nicht leicht, wenn sie mehr als die Oberfläche erleben wollen.

Dieses Taschenbuch soll einen ersten Eindruck von Berlin vermitteln und dem näheren Kennenlernen der Stadt dienen.

Ein vom Informationszentrum Berlin vorbereitetes Studienprogramm ist eine gute Möglichkeit, sich in kurzer Zeit die Stadt eingehender zu erschließen.

Wer Lücken feststellt oder Angaben vermißt, den bitten wir, an das **Informationszentrum Berlin, Hardenbergstraße 20, D-1000 Berlin 12,** zu schreiben.

Ernst Luuk

Wo - Wie - Was?   Zum Ankreuzen!

Dieses Taschenbuch soll jedem sein Berlin-Erlebnis nach Maß ermöglichen. Berlin ist groß und vielseitig. Sehens-, Erlebens-, Besuchens- und nicht zuletzt Lernenswertes, wohin man blickt. Selbst Berliner können längst nicht alles kennen, was Berlin bietet. Wer weiß, was er will, kann gezielt und erfolgreich **sein** Berlin entdecken. Zwei Fragen, richtig beantwortet, und dieses Taschenbuch sind dazu die ersten und besten Voraussetzungen.

Frage 1: Wieviel Zeit steht zur Verfügung?
- ☐ 1 Tag
- ☐ 2-3 Tage (Wochenende)
- ☐ 1 Woche
- ☐ 2 Wochen und mehr

Frage 2: Was interessiert am meisten?
- ☐ Politisches und Geschichtliches
- ☐ Berlin (Ost)
- ☐ Museen, Sammlungen, Ausstellungen, Kunst
- ☐ Theater, Oper, Musik, Kabarett, Kino
- ☐ Sightseeing und Sehenswürdigkeiten
- ☐ Technik, Wirtschaft, Industrie, Architektur
- ☐ Sport, Freizeit, Erholung
- ☐ Kneipen, Diskotheken, Restaurants
- ☐ Alternatives Leben in Berlin
- ☐ Leben, Lernen, Arbeiten in Berlin
- ☐ Shopping und Bummeln

Zu allen Interessen bietet das Inhaltsverzeichnis dieses Taschenbuches den richtigen Einstieg. Die Basisvorschläge auf den nächsten Seiten, die Erlebniszonen (S.82-89), die Spaziergänge und Routen sollen erste Orientierungshilfen sein. Wer weiß, was er will, wird in Berlin an einem Tag mehr entdecken als anderswo in einer Woche. 8 U-Bahn-, 3 S-Bahn- und rund 80 Buslinien allein im Westteil der Stadt machen jedes Ziel schnell und preiswert erreichbar.

NACH BERLIN
DURCH ODER ÜBER DIE DDR

Außer mit dem Schiff (die DDR erlaubt keinen Personenverkehr auf den Wasserstraßen) ist Berlin auf Schiene, Straße oder durch die Luft leicht erreichbar. 1987 benutzten die Transitstrecken: 3,0 Millionen Personen mit der Eisenbahn, 23,0 Millionen mit einem Fahrzeug. 5,0 Millionen reisten mit dem Flugzeug. Die Transitstrecken und Luftkorridore sind Tag und Nacht geöffnet. Für Flieger genügt der Personalausweis. Auf dem Landweg braucht ihr den Reisepaß. Gepäck oder Auto werden nicht kontrolliert, und größere Wartezeiten sind nur an verlängerten Wochenenden oder zu Beginn und am Ende der Ferienzeiten zu befürchten.

Die Fahrt nach Berlin (West) ist nur über Transitstrecken und Luftkorridore möglich. Als Verkehrsmittel kommen die Eisenbahn, das Flugzeug, der Bus, das Auto und das Motorrad in Frage.

Eisenbahn

Für den Betrieb der Eisenbahn auf den Transitstrecken ist die **Deutsche Reichsbahn** der DDR zuständig. Hauptbahnhof ist in Berlin (West) der **Bahnhof Zoologischer Garten.** Hier ist man gleich mitten in der City, und man kommt vom "Zoo" mit U-Bahn, S-Bahn, Bus oder Taxi leicht überall hin. Man kann auch in **Berlin-Wannsee** aussteigen (wenn man in den Südwesten Berlins will) oder in **Berlin-Spandau,** wenn man aus Hamburg kommt und in diese Gegend will.

Für die Bahnreise benötigt man ab 16 Jahren einen **gültigen Reisepaß**. Bis zur Vollendung des 15. Lebensjahres genügt der Kinderausweis.

Omnibus

Von allen größeren Städten im Bundesgebiet, aber auch von vielen kleineren, fahren fast täglich Linienbusse nach Berlin. Vorteil oder Nachteil, je nachdem, ist, daß unterwegs auch viele kleinere Orte angefahren werden. Die Preise liegen in der Regel etwas unter dem Eisenbahntarif 2. Klasse. Über Ziele, Routen und genaue Preise sowie verbilligte Wochenendtarife könnt ihr euch in jedem Reisebüro erkundigen. Die Fahrgäste bekommen bei mindestens 10 Personen ein Sammelvisum ausgestellt. Man muß einen gültigen Reisepaß dabeihaben.

Geschlossene größere Gruppen, die mit einem angemieteten Bus nach Berlin reisen wollen, finden sicher in ihrer Nähe einen Unternehmer, der Erfahrungen mit Fahrten nach Berlin hat, bzw. ein Reisebüro.

Die Linienbusse kommen in Berlin (West) alle auf dem Zentral-Omnibusbahnhof am Funkturm an:

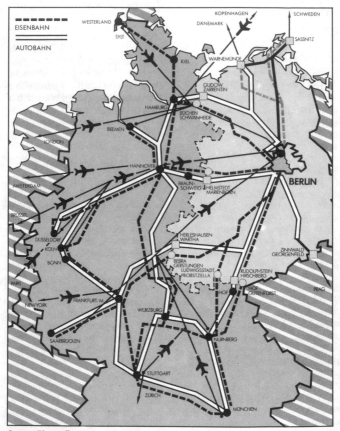

Grenzübergänge

Messedamm, gegenüber dem Internationalen Congress Centrum Berlin (ICC Berlin). Von dort Weiterfahrt mit dem Taxi oder besser - weil billiger - mit der Buslinie 94 oder mit der U-Bahn ab Theodor-Heuss-Platz in die City.

Auto

Wer mit dem Auto oder Motorrad nach Berlin fährt oder von jemandem mitgenommen wird, muß die vorgesehenen Transitstrecken benutzen. Als **Grenzübergangsstellen** kommen in Fra-

ge: Helmstedt/Marienborn (Autobahn Hannover-Berlin), Rudolphstein/Hirschberg (Autobahn Nürnberg-Berlin), Herleshausen/Wartha (Autobahn Frankfurt-Berlin) und Gudow/Zarrentin (Autobahn Hamburg-Berlin).

An der Grenze muß der gültige Reisepaß und für das Auto der Kraftfahrzeugschein vorgezeigt werden. An allen Transitstrecken gibt es Rasthäuser und Intertankstellen, wo man essen bzw. tanken kann, gegen DM West versteht sich.

Beachtet auf der Fahrt durch die DDR streng die Verkehrsregeln: max. 100 km/h auf Autobahnen, es besteht Anschnallpflicht (auch innerhalb der Kontrollstellen).

Die Volkspolizei der DDR kontrolliert überall und zu allen Tages- und Nachtzeiten. Verstöße werden unnachsichtig und sehr, sehr teuer bestraft. Außerdem dürfen die Transitstrecken auf keinen Fall verlassen werden. Nehmt in der DDR nie Anhalter mit und verteilt nichts an Rasthäusern, Tankstellen oder Parkplätzen! Wer's genau wissen will, besorgt sich die kleine Broschüre "Reisen nach und von Berlin (West)", erhältlich beim Gesamtdeutschen Institut, Postfach 12 06 07, 5300 Bonn 1; auch in einigen Reisebüros und bei der Bundesbahn.

Flugzeug

Schnell und bequem ist es, nach Berlin zu fliegen - vorausgesetzt, daß der Flughafen im Bundesgebiet nicht allzuweit vom Wohnort entfernt liegt. Mehrere tägliche Direktflüge von und nach Berlin gibt es von allen wichtigen deutschen Flughäfen.

Berlin wird im innerdeutschen Verkehr von **Air France, British Airways, Dan Air Services, EuroBerlin France, Pan American, Tempelhof Airways** und **Trans World Airlines** angeflogen, und zwar von den Flughäfen Bremen, Dortmund, Düsseldorf, Frankfurt, Hamburg, Hannover, Kiel, Köln/Bonn, München, Münster/Osnabrück, Nürnberg, Paderborn/Lippstadt, Saarbrücken und Stuttgart aus. Zuschüsse der Bundesregierung verbilligen die Flüge von und nach Berlin.

Flughafen in Berlin (West) ist der Flughafen Berlin-Tegel "Otto Lilienthal" (lediglich Tempelhof Airways benutzt den Flughafen Tempelhof). Vom Flughafen Tegel kommt man mit dem Taxi oder Bus weiter. Die Linie 9 fährt (zum Normaltarif) in die City: Kurfürstendamm, Budapester Straße. Die Linie 8 fährt von Tegel nach Reinickendorf und Wedding (U-Bhf. Osloer Straße).

Es gibt verbilligte Schüler-, Gruppen- und Wochenendtarife. Erkundigt euch danach im Reisebüro! Für das Flugzeug braucht man übrigens keinen Reisepaß, wohl aber muß beim Abflug in Berlin der **Personalausweis oder Reisepaß** vorgezeigt werden.

INFORMATIONEN

Informationszentrum Berlin (IZB)

1000 Berlin 12, Hardenbergstr. 20 (2. Etage), Tel. 31 00 40,
Informationsdienst: Mo-Fr 8-19 Uhr, Sa 8-16 Uhr
(Telegrammadresse: berlinzentrum, Telex: 18 37 98,
Telefax: 030/31 004 102).

Das Informationszentrum hat u. a. die folgenden Aufgaben:

- Organisation und Durchführung von politischen Informationsprogrammen für interessierte Besuchergruppen aus dem In- und Ausland; Betreuung dieser Gruppen;
- Programmgestaltung für Studienfahrten von Gruppen nach Berlin, Mitwirkung am Berlin-Fahrten-Förderungsprogramm des Bundes und der Länder, nach dem Gruppen für Studienfahrten einen Zuschuß erhalten können;
- Herausgabe und Versand von Informationsschriften, die mit thematischen Schwerpunkten über die Situation Berlins unterrichten;
- Vermittlung von Quartieren in Jugendgästehäusern für Gruppen jugendlicher Berlinbesucher.

Einzelheiten zum Angebot des Informationszentrums für Gruppen jugendlicher Berlinbesucher enthält die Broschüre **"Hinweise für Studienfahrten nach Berlin"**.

Verkehrsamt Berlin

Das Verkehrsamt hält touristisches Informationsmaterial über Berlin bereit und ist bei der Zimmervermittlung behilflich.

- **Berlin Tourist Information**
  30, Europa-Center (Eingang Budapester Str.), Tel. 2 62 60 31, täglich 7.30-22.30 Uhr.
- **Bahnhof Zoo**
  in der Haupthalle, Tel. 313 90 63, täglich 8-23 Uhr.
- **Flughafen Tegel - Otto Lilienthal**
  in der Haupthalle, Tel. 41 01 31 45, täglich 8-22.30 Uhr.
- **Kontrollpunkt Dreilinden**
  Tel. 8 03 90 57, täglich von 8-23 Uhr.

Unterkunft

Irgendwann muß der Mensch auch irgendwo schlafen. Sogar in Berlin. Da selbst die billigsten Hotels, wie überall sonst auch, immer noch zu teuer sind, empfehlen sich für Gruppen die zahlreichen Jugendgästehäuser. Für viele dieser Häuser übernimmt das **Informationszentrum Berlin** die Vermittlung von Gruppen. Möglichst frühzeitige Anmeldung ist dringend angeraten. Denn meist sind diese Häuser bis unters Dach mit Gruppen und Schulklassen belegt. Für Einzelreisende bieten sich Jugendherbergen und Pensionen an.

Diese, Mini-Gruppen oder Kurzentschlossene finden deshalb auf Seite 16 eine Auswahl noch erschwinglicher Hotels und Pensionen in Ku'damm-Nähe - kein Luxus, aber mitten im Geschehen - und die Adressen einer "mitwohnzentrale" und einer "mitschlafzentrale".

Besonders eingerichtet für Behinderte ist das Gästehaus der Fürst-Donnersmarck-Stiftung, 28, Wildkanzelweg 28, Tel. 40 20 21. Jedoch auch hier: rechtzeitig Kontakt aufnehmen!

Janz **w**eit **d**raußen und auf Seite 16 finden Camping-Fans ihr Plätzchen. Alle im grünen, "ländlichen" Teil Berlins. Die Stadt ist fern, und die Anfahrtszeiten sind lang. Eher was für Leute mit Auto, die mindestens eine Woche bleiben.

Gruppen, die in Berlin Unterkunft benötigen, wenden sich an das **Informationszentrum Berlin**, 1000 Berlin 12, Hardenbergstr. 20, Tel. 030/31 00 40 (Durchwahl Quartiervermittlung 030/31 00 41 72). Die vom IZB vermittelten Häuser werden im folgenden nicht genannt.

Jugendherbergen

bergen in Berlin bitte an die Geschäftsstelle richten.

Jugendgästehäuser

Deutsches Jugendherbergswerk Landesverband Berlin e.V., 61, Tempelhofer Ufer 32, Tel. 262 30 24 Für die Jugendherbergen ist ein Jugendherbergsausweis erforderlich. Anmeldungen für die drei Jugendher-

Darüber hinaus bieten die folgenden Häuser, die jedoch nicht vom IZB vermittelt werden, Unterkunft für Gruppen

(frühzeitige Voranmeldung in jedem Falle notwendig):

Haus der Zukunft
Gästehaus I, 37, Goethestr. 37,
Tel. 8 01 87 04, 36 Betten

Haus der Zukunft
Gästehaus II, 33, Hagenstr. 30,
Tel. 8 26 38 30, Tel.-Nr./Belegung
8 01 87 04, 33 Betten

Haus der Zukunft
Gästehaus III, 19, Stuhmer Allee 12,
Tel. 3 04 74 95, Tel.-Nr./Belegung
8 01 87 04, 35 Betten

Olympia-Stadion
19, Olympischer Platz,
Tel. 3 04 06 76, 200 Betten

Paul-Schneider-Jugendhaus
46, Belßstr. 92,
Tel. 7 75 24 24, 50 Betten

Haus des Zeltlager-Platzes e.V.
27, Rallenweg 4, Tel. 4 31 89 04,
Tel.-Nr./Belegung 4 34 75 73,
46 Betten

Hedwig-Elisabeth-Haus
38, Prinz-Friedrich-Leopold-Str. 40,
Tel. 8 03 53 77,
Tel.-Nr./Belegung 3 02 18 42,
48 Betten

St. Michaelsheim
33, Bismarckallee 23,
Tel. 8 91 40 66, 170 Betten

Gästehaus der Sportjugend
30, Kurfürstenstr. 132,
Tel. 2 61 17 87, 85 Betten

Ev. Johannesstift
20, Schönwalder Allee 26,
Tel. 33 60 91; 31 Betten

Robert-Tillmanns-Haus
38, An der Rehwiese 29,
Tel. 8 03 57 46, 45 Betten

Haus der politischen Bildung
37, Goethestr. 26a, Tel. 8 01 74 97,
75 Betten

Elisabeth-Diakonissen-Krankenhaus
30, Lützowstr. 24-26,
Tel. 2 50 63 20, 24 Betten

Haus des Jugendrotkreuzes
33, Koenigsallee 64, Tel. 8 25 61 24,
66 Betten

Friedrich-Bergmann-Haus
33, Reinerzstr. 43-45
Tel. 8 25 70 85, 22 Betten

Jugendbildungsstätte Kaubstr.
31, Kaubstr. 10, Tel. 87 42 14,
40 Betten

Jugendbildungsstätte "Kurt Löwenstein"
20, Walldürner Weg 11-13,
Tel. 3 35 80 27,
45 Betten

DGB-Jugendbildungsstätte "Gustav Pietsch"
39, Bismarckstr. 24, Tel. 8 03 30 50,
Tel.-Nr./Belegung 2 19 11 27,
39 Betten

Jugendbildungsstätte "Wannseeheim für Jugendarbeit" e.V.
39, Hohenzollernstr. 14,
Tel. 8 05 30 87, 60 Betten

Jugendgästehaus Genthiner Straße
30, Genthiner Str. 48,
Tel. 261 14 81; 156 Betten

Internationale Begegnungsstätte Jagdschloß Glienicke
39, Königstr. /Glienicker Brücke,
Tel. 8 05 10 11,
60 Betten, nur in Verbindung mit politischen Seminaren und internationalen Begegnungen

Deutsche Schreberjugend
10, Kirschenallee 25, Tel. 305 60 57,
25 Betten

Jugendhotel International
61, Bernburger Str. 27/28, Tel.
262 30 81; 170 Betten

CVJM-Haus
30, Einemstr. 10,
Tel. 2 61 37 91, 80 Betten

Jakob-Albrecht-Haus
Jugendgästehaus, 28, Silvesterweg
11, Tel.-Nr./Belegung 7 82 01 15,
39 Betten

Bildungsstätte "Haus der DAG-Jugend" Konradshöhe e.V.
27, Stößerstr. 18-23,
Tel. 4 31 40 23, 43 Betten
Theodor Grabe Haus
49, Briesingstr. 6,
Tel. 7 44 92 15, 60 Betten
Studentenhotel Berlin
62, Meininger Str. 10,
Tel. 7 84 67 20/30, 160 Betten
Kolpinghaus
61, Methfesselstr. 43,
Tel. 7 85 30 91, 50 Betten
St. Anna Heim
45, Königsberger Str. 34,
Tel. 7 72 10 94, 30 Betten
Haus Anselm von Havelberg
22, Sakrower Kirchweg 103,
Tel. 3 65 56 74, Tel. Nr./ Belegung
32 00 62 08, 40 Betten
Internationale Bildungsstätte in der UFA-Fabrik
42, Viktoriastr. 13,
Tel. 7 52 80 85

Zeltplätze

Wir nennen euch einige Campingplätze des **Deutschen Camping-Clubs e.V.,** Geschäftsstelle: 30, Geisbergstr. 11, Tel. 24 60 71/72, Kosten: DM 5,- pro Zelt bzw. Wohnwagen, von 7 bis 16 Jahren DM 1,70 pro Person, ab 16 Jahren DM 6,- pro Person. Reservierung empfehlenswert.

Zeltplatz in Kladow
22, Krampnitzer Weg 111,
Tel. 3 65 27 97, ca. 400 Zelte/auch Wohnwagen, ganzjährig

Campingplatz Haselhorst
20, Pulvermühlenweg,
Tel. 3 34 59 55, ganzjährig

Campingplatz Dreilinden
39, Albrechts Teerofen,
Tel. 8 05 12 01, ganzjährig

Hotels und Pensionen im City-Bereich

Hotels und Pensionen gibt es in allen Preislagen. Wir geben euch hier einige in Ku'damm-Nähe an, die zu den preiswerteren gehören. Billig sind auch sie allemal nicht (Einzelzimmer mit Frühstück zwischen 40,- DM und 60,- DM, Doppelzimmer ab 50,- DM). Schwierig wird es mit Übernachtungsmöglichkeiten in Berlin immer zu Zeiten großer Kongresse und Messen. Meist kann jedoch das **Verkehrsamt** (im Europa-Center) weiterhelfen, das oft auch noch Privatquartiere vermittelt. Dort gibt's auch ein ausführliches Hotelverzeichnis. Außerdem vermittelt die **1. mitwohnzentrale**, 12, Sybelstr. 53, Tel. 3 24 99 77/88 vorübergehend freie Wohnungen bzw. Zimmer und die **mitschlafzentrale berlin**, 12, Schlüterstr. 39, Tel. 882 75 57, Einzel- und Mehrbettzimmer.

Alster
30, Eisenacher Str. 10, Tel. 24 69 52
Am Lehniner Platz
31, Damaschkestr. 4 (Ecke Kurfürstendamm), Tel. 323 42 82
Austria
30, Rankestr. 26, Tel. 2 13 60 18
Becker
31, Nikolsburger Platz 2 (U-Bhf. Spichernstr.), Tel. 8 61 80 78

Bialas
12, Carmerstr. 16, Tel. 3 12 50 25
Centrum Pension Berlin
12, Kantstr. 31 (U-Bhf. Zoologischer Garten), Tel. 31 61 53
Charlot
12, Giesebrechtstr. 17, Tel. 323 40 51
De Luxe
15, Lietzenburger Str. 76,
Tel. 8 82 18 28
Domino
19, Neue Kantstr. 14, Tel. 321 69 06
Elfert
12, Knesebeckstr. 14 (U-Bhf. Ernst-Reuter-Platz),
Tel. 3 12 12 36
Elton
15, Pariser Str. 9, Tel. 8 83 61 56
Fischer
30, Nürnberger Str. 24a (U-Bhf. Augsburger Straße), Tel. 24 68 08
Flora
12, Uhlandstr. 184 (U-Bhf. Uhlandstr.), Tel. 8 81 16 17

Gunia
30, Eisenacher Str. 10 (U-Bhf. Nollendorfplatz), Tel. 24 59 40
Kleistpark
62, Belziger Str. 1 (U-Bhf. Kleistpark), Tel. 781 11 89
Knesebeck
12, Knesebeckstr. 86, Tel. 31 72 55
Nürnberger Eck
30, Nürnberger Str. 24a (U-Bhf. Augsburger Str.), Tel. 24 53 71
Peters
12, Kantstr. 146 (U-Bhf. Zoologischer Garten), Tel. 3 12 22 78
Riga
30, Rankestr. 23 (U-Bhf. Kurfürstendamm), Tel. 2 11 12 23

Sachsenhof
30, Motzstr. 7 (U-Bhf. Nollendorfplatz), Tel. 2 16 20 74
Steiner
31, Albrecht-Achilles-Str. 58,
Tel. 8 91 90 16
Trautenau
31, Trautenaustr. 14 (U-Bhf. Güntzelstr.), Tel. 8 61 35 14
Wilmersdorf
15, Schaperstr. 36 (U-Bhf. Spichernstr.), Tel. 24 30 81

Verkehrsmittel

Die öffentlichen Verkehrsmittel in Berlin (West) sind sehr gut ausgebaut. Mit U-Bahn oder Bus kommt man überall hin. Daneben gibt es noch die S-Bahn und eine von der BVG betriebene Schiffslinie über den Wannsee nach Kladow.

U-Bahn

In Berlin (West) gibt es acht U-Bahn-Linien mit 119 Bahnhöfen. Auf einigen Streckenabschnitten fährt die U-Bahn "über Tage", entweder als Hochbahn (wie z. B. in Richtung Schlesisches Tor) oder in einem Erdeinschnitt (wie z. B. Richtung Krumme Lanke). Morgens fahren die ersten Züge kurz nach 4, die letzten nachts zwischen Mitternacht und 1 Uhr; in der Nacht von samstags zu sonntags zwischen 1 und 2 Uhr.

Die **Mitnahme von Fahrrädern** ist möglich: Mo-Fr 9-14 und ab 17.30 Uhr, Sa und So ganztägig.

Busse

Wie die U-Bahn-Linien werden auch die rund 80 Bus-Linien von der BVG betrieben (BVG = Berliner Verkehrs-Betriebe). Bis auf wenige Ausnahmen werden die Linien mit Doppeldeckerbussen betrieben. Am besten setzt ihr euch in so einen Doppeldecker nach oben in die erste Reihe, da seht ihr am meisten.

In den Bussen muß man vorn einsteigen und beim Fahrer bezahlen. Man bekommt nur Einzelfahr-scheine. Die Sammelkarten (für U-Bahn, S-Bahn und Bus) bekommt man an Automaten, die an vielen Haltestellen aufgestellt sind (man braucht passendes Geld!) oder an den Schaltern der Bahnhöfe. Allerdings sind auch diese zum Teil durch Automaten ersetzt. Entwerten muß man in diesen Fällen den Fahrschein selbst, dafür gibt es kleine rote Kästchen. **Nachtbusse** verkehren zum Normaltarif nach Fahrplan die ganze Nacht und in alle Richtungen. Achtet an den Haltestellen auf die teilweise von den üblichen Strecken abweichenden Routen.

S-Bahn

Vor dem Krieg war die S-Bahn das leistungsfähigste und beliebteste Verkehrsmittel der Reichshauptstadt. Anfang des Jahres 1984 wurden der BVG die Betriebsrechte für die S-Bahn in Berlin (West) übertragen - diese stand bis dahin unter der Verwaltung der Deutschen Reichsbahn. Praktisch bedeutet das, daß man jetzt, ohne noch einmal zahlen zu müssen, von der U-Bahn bzw. vom Bus auch auf die S-Bahn umsteigen kann (bzw. umgekehrt). Bislang je-

doch sind lediglich drei Strecken funktionsfähig; weitere müssen erst wieder hergerichtet werden, da die S-Bahn in den letzten Jahren und Jahrzehnten sehr heruntergekommen war bzw. einige Strecken sogar stillgelegt waren. Die für euch wichtigste S-Bahn-Verbindung dürfte die über den Zoologischen Garten zum Bahnhof Friedrichstraße in Berlin (Ost) sein. Die **Mitnahme von Fahrrädern** ist jederzeit möglich.

Liniennetzplan/Fahrplanheft

Der Liniennetzplan (DM 2,-; sehr brauchbar; enthält auch eine gute Karte der Innenstadt) und das Fahrplanheft für BVG (DM 2,50) sollte sich jeder kaufen, der vorhat, viel in der Stadt herumzufahren.

Verkehrstarife

Der **Einzelfahrschein zum Normaltarif** kostet DM 2,70, für Kinder im Alter von 6 bis 14 Jahren DM 1,70. Mit diesem Fahrschein kann man innerhalb von 2 Stunden das Gesamtnetz der BVG (außer Bus-Ausflugslinien) benutzen und beliebig oft zwischen Bus, U- und S-Bahn umsteigen oder die Fahrt unterbrechen. Für die günstige **Sammelkarte mit 5 Fahrten** (DM 11,50 bzw. DM 7,-) gelten die gleichen Bedingungen; sie ist jeweils vor Antritt der Fahrt in den roten Entwertern (im Bus oder an den Bahnhofseingängen) oder vom BVG-Personal abzustempeln. Sammelkarten erhält man z.B. aus den Automaten, die sich an den S- oder U-Bahneingängen und manchmal an den Bushaltestellen befinden, nicht jedoch bei den Busfahrern.

Von Interesse dürften noch die folgenden Tarife sein: Das **Ku'-damm-Ticket** (ohne Umsteigeberechtigung) für DM 1.- gilt für Busfahrten auf der Strecke Ku'-damm-Tauentzienstraße zwischen Wittenbergplatz und Rathenauplatz (ausgenommen ist die Flughafenlinie). Das **Berlin-Ticket** für DM 9,- bzw. DM 5,- (Kinder von 6-14 Jahren) ist gültig für 24 Stunden nach dem ersten Fahrtantritt für beliebig viele Fahrten auf dem Gesamtnetz der BVG (ausgenommen Ausflugslinie).

Sonderwochenkarte für Gruppen

Mindestens 6 Personen, durch den Gruppenleiter zu beantragen, gültig für 7 Tage, DM 28,- pro Person (kann dann einzeln benutzt werden). Sie kann auch schriftlich bei der BVG, Direktionsabteilung Verkehrsgestaltung, 1000 Berlin 30, Potsdamer Str. 188, bestellt werden.

Verkaufsstellen:

BVG-Hauptkartenstelle im U-Bhf. Kleistpark

BVG-Kiosk Zoo/Hardenbergplatz

Schiffe

Über die zahlreichen Möglichkeiten, die Berliner Gewässer mit einem Schiff kennenzulernen, könnt ihr euch bei der Stern und Kreisschiffahrt, 37, Sachtlebenstr. 60, Tel. 810 00 40/803 87 50, und beim Reederverband der Westberliner Personenschiffahrt, 20, Spandauer Burgwall 23, Tel. 331 50 17, informieren. Hier nur soviel:

Von Wannsee nach Kladow gibt es eine stündliche Schiffsverbindung, die man mit einem normalen BVG-Fahrschein benutzen kann. Linienschiffe fahren, meist ausgehend von den großen Anlegestellen Wannsee oder Tegel, Greenwichpromenade zur Glienicker Brücke, nach Nikolskoe/Pfaueninsel, zum Stölpchensee z. B.; auch verschiedene Rundfahrten werden von Wannsee bzw. Tegel aus angeboten. Eine interessante Route im Sommer bietet die Reederei Riedel, 61, Planufer 78, Tel. 691 37 82, 693 46 46. Einsteigen morgens um 9 Uhr an der Wildenbruchbrücke bzw. ca. 20 Minuten später an der Kottbusser Brücke (Nähe U-Bhf. Kottbusser Tor), wahlweise nach Tegel oder zur Pfaueninsel. Die Fahrt führt durch die gesamte Innenstadt, die Industrievororte und letztlich ins grüne, ländliche Berlin.

Taxis

Wem es auf ein paar Mark mehr oder weniger nicht ankommt, der kann auch mal das Taxi benutzen. Wenn das Taxi-Fahren in Berlin auch nicht mehr so preiswert wie früher ist, so ist es doch noch immer etwas günstiger als in den meisten westdeutschen Städten. Vor allem, wenn ihr zu mehreren seid (bis zu vier Personen werden mitgenommen), könnt ihr euch den Spaß schon leisten. Die Einschaltgebühr liegt zur Zeit bei DM 3,40. Dazu kommt pro Kilometer DM 1,49 (nachts DM 1,69). Für Gepäckstücke muß man einen Zuschlag bezahlen.

Telebus

Für Rollstuhlfahrer besteht die Möglichkeit, den Telebus-Dienst in Anspruch zu nehmen. Auskunft: Telebus-Zentrale, 15, Joachimstaler Str. 15-17, Tel. 88 00 31 13 oder 88 00 31 28. Gruppen sollten schon einige Wochen vorher ihre Wünsche bei der Telebus-Zentrale anmelden.

Berlin-Reiseführer

Auswahl einiger Reiseführer:
— Polyglott-Reiseführer BERLIN (DM 6,80; recht knapper Reiseführer)
— Der große Baedeker BERLIN (DM 39,80; umfassendes, klassisch-seriöses Reisehandbuch)
— Anders reisen - BERLIN (DM 14,80; ein Berlinführer mit alternativ-kritischem Ansatz)
— dtv MERIAN Reiseführer Berlin (DM .22,80; umfangreicher Reiseführer mit vielen praktischen Hinweisen)
— DuMont Richtig reisen: Berlin (DM 36,-; umfangreiches Einstimmungsbuch auf Berlin, mit vielen Abbildungen und praktischen Hinweisen)
— Halb Berlin und ganz die Hauptstadt. Berlin (DDR) (DM 37.-; umfangreicher Reiseführer über Berlin [Ost])
— Berlin-Stadtführer für Behinderte (nicht unbedingt ein Reiseführer, enthält aber eine Fülle von Infos; kostenlos erhältlich beim Landesamt für Zentrale Soziale Aufgaben, Abt. IV, Informations-und Beratungsgruppe, Sächsische Str. 28-30, 1000 Berlin 31, Tel. 867-1).
  Im Handel sind auch mehrere Spaziergänge auf Tonbandkassetten erhältlich.

Veranstaltungs-
hinweise

Die 14tägig erscheinenden Stadtillustrierten **tip magazin** und **zitty** sowie das monatlich erscheinende **Berlin-Programm** sind die besten Informationsquellen (erhältlich an allen Zeitungskiosken). Folgende **Tageszeitungen** informieren aktuell über Veranstaltungen:

- Berliner Morgenpost
- Der Tagesspiegel
- BZ (Berliner Zeitung)
- Bild-Zeitung (Berliner Ausgabe)
- Volksblatt Berlin
- die tageszeitung (taz)

Der **Rundfunk** bietet für Jugendliche die folgenden Veranstaltungshinweise:
Sender Freies Berlin: SFB II (UKW Kanal 18, 92,4 MHz) in der Sendung sfbeat, ab 18 Uhr.
RIAS Berlin: RIAS II (UKW Kanal 24, 94,3 MHz) in der Sendung RIAS Treffpunkt, ungefähr 17.45 Uhr.
Hundert,6 (UKW Kanal 44, 100,6 MHz): kurz nach 9 Uhr.
Radio in Berlin (UKW Kanal 55, 103,4 MHz): verteilt über den Tag.
Ansagedienste der Post:

1 15 17	Kabarett, Varieté, sonstige Veranstaltungen
1 15 11 u. 1 15 12	Kinoprogramme der Uraufführungstheater
11 56	Theater- und Konzertveranstaltungen

Veranstaltungshinweise können auch über den **Bildschirmtextdienst** abgerufen werden, z. B.:

6 60 00	Presse- und Informationsamt Berlin
2 12 34	Verkehrsamt Berlin

Nützliche Hinweise

Notdienste
Notruf Polizei: Tel. 1 10
Notruf Feuerwehr/Notarzt: Tel. 1 12
Ärztlicher Notdienst: Tel. 31 00 31
Zahnärztlicher Notfalldienst: Tel. 11 41 (an Wochenenden und Feiertagen)
Apotheken-Notdienst: Auskunft: Tel. 11 41

Vergiftungsberatung:
Kinder: Tel. 3 02 30 22;
Erwachsene: Tel. 3 03 54 66
Telefon-Seelsorge:
Tel. 1 11 01
Mondo-X (Jugendberatung):
Tel. 3 13 60 21
Automobilclubs
ACE, 30, Kleiststr. 19,
Tel. 2 11 22 55
ADAC, 31, Bundesallee 29/30,
Auskunft Tel. 86 86-5,
Pannenhilfe Tel. 1 92 11
AvD, 30, Wittenbergplatz 1,
Tel. 2 13 30 33
BVG Kundendienst
Tel. 2 16 50 88 (Tag und Nacht)
Bundesbahnauskunft, Pavillon am
Zoo, 12, Hardenbergstr. 20, Auskunft
Tel. 194 19, Mo-Fr 8.30-18.30 Uhr, Sa
8.30-13 Uhr
Flughafen Tegel-Otto Lilienthal
Information: Tel. 41 01 23 06
Flughafen Tempelhof
Information: Tel. 690 91
Omnibus-Auskunft
Fernverkehr, Zentral-Omnibusbahnhof
am Funkturm, Tel. 3 01 80 28
Fundbüros
Polizei, 42, Platz der Luftbrücke 6,
Tel. über 699-0
BVG, 30, Potsdamer Str. 184,
Tel. 2 16 14 13
Polizei
Notruf Tel. 1 10
Polizeipräsidium, 42, Platz der Luft-
brücke 6, Tel. 699-0
Post
Die normalen Öffnungszeiten der Berli-
ner Postämter sind Mo-Fr 8-18 Uhr, Sa
8-12 Uhr. Außerhalb dieser Zeiten ist
z.B. geöffnet: **Bahnhof Zoo,** Tag- und
Nachtschalter. Briefsendungen mit
dem Vermerk "hauptpostlagernd" und
"bahnhofspostlagernd" werden hier
ausgehändigt. Tel. 3 13 97 99

Weitere Adressen
**Der Senator für Schulwesen, Be-
rufsausbildung und Sport**
19, Bredtschneiderstr. 5, Tel. 30 32-1
**Der Senator für Jugend und Fa-
milie**
30, Am Karlsbad 9, Tel. 26 04-1
Informationen speziell für behinderte
Jugendliche über Tel. 26 04 26 84
**auskunfts- und beratungs-cen-
ter (abc)**
33, Hohenzollerndamm 125, Tel.
82 00 82 60, Di-Fr 16-20 Uhr, Sa 11-14
Uhr. Informationsdienst für Neuberliner
**Kirchlicher Besucherdienst der
Evangelischen Kirche**
21, Bachstr. 1-2, Tel. 39 09 12 15 und
230
**Bischöfliches Ordinariat Berlin
(West)**
Referat Öffentlichkeitsarbeit, 19,
Wundtstr. 48-50, Tel. 32 00 61 18
Handwerkskammer Berlin
61, Blücherstr. 68, Tel. 2 51 09 31
**Industrie- und Handelskammer
zu Berlin**
12, Hardenbergstr. 16, Tel. 3 18 01
AMK Berlin
Ausstellungs-Messe-Kongreß-GmbH,
19, Messedamm 22, Tel. 30 38-1. Die
AMK ist Veranstalter von Kongressen
(ICC Berlin), großen Unterhaltungsver-
anstaltungen (Deutschlandhalle, ICC
Berlin) und Messen und Ausstellungen.
Zu nennen im besonderen die "Interna-
tionale Grüne Woche" (im Januar/Fe-
bruar), die "Internationale Tourismus-
Börse" (im März), die "Internationale
Funkausstellung" (alle ungeraden Jah-
re im September); Veranstaltungsort:
Ausstellungshallen am Funkturm. Für
einige Messeveranstaltungen hat die
AMK Berlin Schülerprogramme ent-
wickelt (Tel. 30 38 22 82).

Berlin in Zahlen

Berlin
- durchschnittlich 34 m über NN
- 52° 31' N, 13° 25' östl. Länge
- Ortszeit: 6 Minuten, 22 Sekunden hinter MEZ
- 2,0 Mio. Einwohner in West, 1,1 Mio. in Ost
- 480 qkm West, 403 qkm Ost
- um 1237 erstmals urkundlich erwähnt
- Berlin besteht ursprünglich aus 8 Städten, 59 Dörfern und 27 Gutsbezirken
- ca. 1.000 Brücken
- größte Ausdehnung Ost-West: 45 km
- größte Ausdehnung Nord-Süd: 38 km

Berlin (West)
- ca. 1 Million Wohnungen (davon ca. 550 000 in Altbauten)
- 2.900 km öffentliche Straßen
- 583 km Radwege
- 50 000 Laubenpieper (Schrebergärten)
- ca. 224.000 Ausländer aus mehr als 100 Nationen, darunter mehr als 110.000 Türken
- ca. 600 Kirchen, Tempel, Synagogen
- 16% der Fläche sind Wälder
- 6,5% sind Flüsse und Seen
- 7,2% sind landwirtschaftlich genutzt
- mehr als 60 reizvolle Stadtparks
- der höchste Berg ist der (künstliche) Teufelsberg mit 120 m
- der nördlichste Weinberg Deutschlands liegt am Kreuzberg
- 1 Autofähre

- um die 5.000 Taxen
- 8 U-Bahnlinien mit 108,2 km und 119 Bahnhöfen, 3 S-Bahnlinien mit 71,5 km und 37 Bahnhöfen und 80 Buslinien
- 6.000 gastronomische Betriebe
- 132 öffentliche Büchereien
- rund 11.000 Tiere im Zoo (inklusive Aquarium)
- 100.000 Hunde

Berlin (Ost)
- ca. 570.000 Wohnungen
- 18% der Fläche sind Wälder
- 6% sind Seen und Flüsse
- 24% sind landwirtschaftlich genutzt
- die höchsten natürlichen Erhebungen sind die Müggelberge mit 115 m
- um die 800 Taxen
- 2 U-Bahnlinien mit 16 km Länge
- ca. 1000 gastronomische Betriebe

Das Jahr in Berlin

(Die genauen Termine bitte erfragen, da sie von Jahr zu Jahr
schwanken können)

Januar	Internationale Grüne Woche
Februar	Internationale Filmfestspiele und Internationales Forum des jungen Films
März	Internationale Tourismus-Börse
April	Berliner Kunsttage
Mai	Theatertreffen
Mai/Juni	Freie Berliner Kunstausstellung
Juni	Horizonte - Festival der Weltkulturen (unregelmäßig; wieder 1989) Theatertreffen der Jugend
Juni/Juli	Deutsch-Französisches Volksfest
Juli	Bach-Tage
Juli/August	Berliner Sommernachtstraum Deutsch-Amerikanisches Volksfest
August/September	Internationale Funkausstellung (alle ungeraden Jahre)
September/Oktober	Berliner Festwochen
Oktober/November	JazzFest Berlin
November	Treffen Junger Liedermacher Treffen Junger Autoren
Dezember	Weihnachtsmarkt

POLITISCHES UND GESCHICHTLICHES

Nach einem häufig zitierten Wort ist beinahe "alles" in Berlin politisch. Aber keine Angst, die Dinge sind nicht so kompliziert, als daß man von vornherein jedes Bemühen um "Durchblick" aufgeben müßte. Wissen sollte man: Berlin steht auch heute noch, Jahrzehnte nach Kriegsende, formell unter Besatzungsrecht. Doch ist dies im Westteil der Stadt längst kein "Besatzungsregime" mehr im hergebrachten Sinne; denn die USA, Großbritannien und Frankreich erhalten ihre oberste Gewalt aufrecht, weil nur sie die äußere Sicherheit der isolierten Stadt garantieren können. Aus Besatzungsmächten sind Schutzmächte geworden.

Im Alltag sind die feinen Unterschiede zwischen Westdeutschland und Berlin (West) kaum zu bemerken. Ihre Aufgaben erfüllen die Westmächte in enger Abstimmung mit der Bundesrepublik. Der Bund sorgt für die wirtschaftliche und finanzielle Stabilität von Berlin (West), und er hat die Stadt nahtlos in sein rechtliches, wirtschaftliches und finanzielles System einbezogen. Der fortdauernde Besatzungszustand ist also fast unsichtbar, aber gewollt. Nach jahrelangen Auseinandersetzungen, die in den großen und gefährlichen Berlin-Krisen gipfelten, hat die Sowjetunion 1971 im Vier-Mächte-Abkommen die beiden Grundpfeiler von Berlin (West) anerkannt: Die alliierten Rechte werden anerkannt, und die Bindungen an den Bund werden aufrechterhalten und weiterentwickelt. Dank dem Abkommen hat sich das Leben in Berlin auch in den praktisch so wichtigen Bereichen - Zugangsverkehr, Zutritt nach Berlin (Ost) und in die DDR usw. - spürbar erleichtert.

Im Rahmen der Bindungen an den Bund verfügt der Senat von Berlin über einen ähnlichen Handlungsspielraum wie die anderen Landesregierungen. Der Senat hat gleichzeitig Landes- und Gemeindeaufgaben wahrzunehmen. Das Landesparlament, das gesetzgebende Organ, nennt sich in Berlin Abgeordnetenhaus. Es wählt den Regierenden Bürgermeister sowie die anderen Mitglieder des Senats (einen Bürgermeister und höchstens 16 Senatoren).

Im Abgeordnetenhaus sind im Augenblick die CDU, die SPD,

die Alternative Liste und die F. D. P. vertreten. Den Regierenden Bürgermeister stellt die CDU.

Christlich Demokratische Union Deutschlands (CDU)
Landesverband Berlin, 30, Lietzenburger Str. 46, Tel. 2 11 60 11
Sozialdemokratische Partei Deutschlands (SPD)
Landesverband Berlin, 65, Müllerstr. 163, Tel. 46 92-0
Alternative Liste (AL)
31, Badensche Str. 29, Tel. 8 61 44 49, 8 61 29 14
Freie Demokratische Partei (F.D.P.)
Landesverband Berlin, 33, Im Dol 2, Tel. 8 31 30 71

Daten aus der Geschichte Berlins

Im folgenden ein kurzer geschichtlicher Überblick. Wer die Geschichte Berlins anschaulich erleben will, besucht das Berlin Museum im Bezirk Kreuzberg, Lindenstr. 14 (interessant u. a. ein Holzmodell der Doppelstadt Berlin-Cölln).

1200 Um diese Zeit entstehen auf zwei benachbarten Spree-Inseln die Siedlungen Berlin und Cölln, die sich zu wichtigen Handelsplätzen entwickeln.

1237 Cölln wird zum erstenmal urkundlich erwähnt, 1244 Berlin.

1307 Berlin und Cölln vereinigen sich zu gemeinsamer Verwaltung. Die Doppelstadt Berlin-Cölln erlebt im 14. Jh. einen großen wirtschaftlichen Aufschwung.

1415 Burggraf Friedrich von Nürnberg aus dem Hause der Hohenzollern wird als Friedrich I. Kurfürst von Brandenburg.

1432 Berlin und Cölln vereinigen sich zu einer Stadt.

1470 Berlin wird Residenz des Kurfürsten, Sitz der Behörden und des obersten Gerichts.

1685 Edikt von Potsdam: der Große Kurfürst lädt die in Frankreich verfolgten Hugenotten ein, sich in Brandenburg eine neue Heimat zu suchen.

1701 Friedrich III., Kurfürst von Brandenburg, krönt sich in Königsberg zum König. Er nennt sich jetzt als "König in Preußen" Friedrich I.

1709 Die fünf Städte Berlin, Cölln, Friedrichswerder, Dorotheenstadt und Friedrichstadt werden zu einer Gesamtgemeinde vereinigt: der königlichen Residenzstadt Berlin.

1735 Berlin wird in weitem Umkreis mit einer Stadtmauer umgeben. Die Einwohnerzahl beträgt zu dieser Zeit rund 60 000, darunter viele Einwanderer aus Frankreich, der Schweiz, der Pfalz und Böhmen.

1740 Regierungsantritt Friedrichs II., des Großen. Unter ihm Ausbau Berlins zu einer Hauptstadt von europäischem Rang.

1770 Ausgestaltung der Straße "Unter den Linden" zur Prachtstraße. Das Brandenburger Tor bildet seit 1791 ihren Abschluß und ist seitdem Wahrzeichen der Stadt.

1806 Einzug Napoleons durch das Brandenburger Tor. Es folgt eine zweijährige französische Besatzungszeit.

1848 Im März Revolution in Berlin. In blutigen Straßenkämpfen kommen über 200 Menschen ums Leben, vorwiegend Arbeiter und Kleinbürger.

1871 Berlin wird Hauptstadt des Deutschen Reiches. Die Einwohnerzahl beträgt rund 800 000.

1920 Zusammenschluß Berlins mit sieben umliegenden, bisher selbständigen Städten, 59 Landgemeinden und 27 Gutsbezirken zu einer Einheitsgemeinde, offiziell "Groß-Berlin" genannt. Das Stadtgebiet umfaßt nun 878 qkm, die Einwohnerzahl beträgt fast 4 Millionen.

1933 Am 30. Januar Machtergreifung Hitlers und der Nationalsozialisten. Am 27. Februar Reichstagsbrand.

1936 In Berlin finden die XI. Olympischen Spiele statt.

1939 Am 1. September Ausbruch des Zweiten Weltkrieges.

1944 Schon vor der militärischen Niederwerfung Deutschlands formulieren die vier Alliierten Grundsätze der späteren Verwaltung Berlins.

1945 Ende April erreichen sowjetische Truppen Berlin. Am 2. Mai Kapitulation der deutschen Truppen in Berlin, am 8. Mai kapituliert Deutschland in Berlin-Karlshorst.
Berlin wird Vier-Sektoren-Stadt unter gemeinsamer Verwaltung der Siegermächte USA, Großbritannien, Frankreich, Sowjetunion.

1948 Am 24. Juni Beginn der Blockade: Sperrung der Verbindungswege zwischen Berlin und Westdeutschland durch die sowjetische Besatzungsmacht. Einrichtung der Luftbrücke zur Versorgung der Bevölkerung der Westsektoren. Die Blockade dauert elf Monate.
September/November: Die Stadtverordnetenversammlung muß unter kommunistischem Druck ihren Sitz aus dem Ostsektor in die Westsektoren verlegen. Spaltung der Stadt durch Proklamation eines eigenen "Magistrats" durch die Kommunisten.

1953 Am 17. Juni Volksaufstand in Berlin (Ost), der auf die ganze DDR übergreift. Die sowjetische Militärverwaltung verhängt den Ausnahmezustand. Der Aufstand wird niedergeschlagen.

1958 Am 27. November Berlin-Ultimatum der Sowjetunion und Aufforderung an die Westmächte, Berlin zu verlassen.

1959 Vier-Mächte-Außenministerkonferenz zur Deutschland- und Berlin-Frage (11.5.-20.6. und 13.7.-5.8.). Keine Einigung, aber Verdeutlichung der eigenen Standpunkte.

1961 Am 13. August Bau der Mauer.

1963 Am 26. Juni Besuch des amerikanischen Präsidenten John F. Kennedy in Berlin.

1963 Am 17. Dezember erstes Passierscheinabkommen für West-Berliner zu Verwandtenbesuchen im anderen Teil der Stadt.

1968 Am 13. Juni führt die DDR auf den Zufahrtswegen von und nach Berlin den Paß- und Visumzwang ein.

1970 Am 19. März Treffen von Brandt und Stoph in Erfurt.
Am 21. Mai Treffen von Brandt und Stoph in Kassel.

1971 Am 3. September Unterzeichnung des Vier-Mächte-Abkommens über Berlin im ehemaligen Alliierten Kontrollratsgebäude. Das Abkommen tritt neun Monate später in Kraft.

1971 Am 17. Dezember Abkommen zwischen der DDR und der Bundesrepublik über Transitverkehr von und nach Berlin gemäß den Vereinbarungen im Vier-Mächte-Abkommen.

1972 Am 24. Mai treten die "Ostverträge" (Gewaltverzichtsverträge mit Polen und der UdSSR) in Kraft.

1972 Am 21. Dezember Unterzeichnung des Vertrags über die Grundlagen der Beziehungen zwischen der Bundesrepublik Deutschland und der DDR.

1974 Am 2. Mai werden in Bonn und im Ostsektor Berlins die Ständigen Vertretungen beider deutscher Staaten eröffnet, wobei die Vertretung der Bundesrepublik Berlin (West) mitvertritt.

1975 Am 1. August Schlußakte der Konferenz über Sicherheit und Zusammenarbeit in Europa (KSZE). Berlin ist einbezogen.

1978 Am 16. November vereinbaren die beiden deutschen Staaten den Bau einer Autobahn von Berlin (West) in Richtung Hamburg und andere Verbesserungen im Berlin-Verkehr.

1980 Am 13. Oktober setzt die DDR eine drastische Erhöhung des Mindestumtausches für westliche Besucher in Kraft.

1982 Am 11. Juni besucht Präsident Reagan Berlin und erneuert die dauerhafte Verpflichtung der USA gegenüber der Stadt. Er bezeichnet das Vier-Mächte-Abkommen als ein gelungenes Unternehmen von Ost und West, ihre Differenzen in Berlin zum Segen der ganzen Menschheit ohne einen bewaffneten Zusammenstoß zu regeln.

1982 Am 29. Oktober besucht die britische Premierministerin Margaret Thatcher Berlin und betont die Lebenskraft des freien Berlin.

1983 Am 12. Juni stattet der UN-Generalsekretär Javir Perez de Cuellar Berlin einen Besuch ab.

1984 Am 9. Januar werden der BVG die Betriebsrechte für die S-Bahn in Berlin (West) übertragen.

1985 Am 11. Oktober besucht der französische Staatspräsident François Mitterrand, der in Begleitung von Bundeskanzler Helmut Kohl anreist, Berlin und weist auf die hohe Bedeutung der Stadt für den Austausch zwischen Ost und West hin.

1987 750-Jahr-Feier in beiden Teilen der Stadt.

1988 Die Kultusminister der Europäischen Gemeinschaft haben Berlin für das Jahr 1988 zur "Kulturstadt Europas" ernannt.

Wichtig für weitere Informationen zur Geschichte und Politik sind die vom Informationszentrum herausgegebene Broschüren:
"Berlin - Im Überblick" und **"Ost-Berlin".**

Berlin alternativ

Wer oder was ist alternativ? Wer sich in Berlin für die alternative Szene interessiert, wird sich einer verwirrenden und unübersichtlichen Vielfalt von Formen und Inhalten dessen, was sich als "alternativ" versteht, gegenübersehen.

Die Mehrheit der alternativen Bewegung versucht, neue Formen des Lebens und Arbeitens zu verwirklichen und überschaubare Lebensverhältnisse in unserer oft anonymen Gesellschaft herzustellen. Da gibt es die kollektiv geführten Handwerks- und Reparaturbetriebe, die Naturkostläden und die alternativen Bäckereien, politische Treffs und Kommunikationszentren, therapeutische und soziale Selbsthilfegruppen und Wohngemeinschaften, kollektive Ärzte- und Rechtsanwaltspraxen, Stadtteilzeitungen und Videoprojekte, Bürgerinitiativen und Ökogruppen, Theaterkollektive und Rockgruppen u. v. m.

Als politische Alternative zu den etablierten Parteien versteht sich die seit 1981 im Abgeordnetenhaus vertretene "Alternative Liste".

Diese Vielschichtigkeit, ein ständiger Wandel und fließende Übergänge machen eine genauere Bestimmung dessen, was alternativ ist, unmöglich. Anders leben, zumindest ein wenig, ist für viele schon alternativ leben. In so manches etablierte Unternehmen ist mittlerweile auch ein Stückchen Gegenkultur eingedrungen; umgekehrt sind alternative Projekte nicht frei von "bürgerlichen" Strukturen. Und schließlich: viele Gruppen, die auf der Grundlage der Selbsthilfe arbeiten, werden heute öffentlich gefördert.

Wer sich einen eigenen Eindruck verschaffen will, informiert sich am besten im "zitty", "tip magazin" oder in der Tageszeitung "taz" über Veranstaltungen und Aktivitäten. Viele der anderen Szene-Blätter und Stadtteilzeitungen erhält man nur in bestimmten politischen Kneipen, manchen Off-Kinos oder einigen Buchhandlungen. Hier bekommt ihr auch weitere Literatur zu den Themen, die Alternative bewegen, sei es Frieden, Ausländer,

Umwelt oder Naturkost. Den ausführlichsten Überblick über alternative Projekte bietet das "Stattbuch 3" (DM 26,-). Eine Sammlung der verschiedensten Selbsthilfegruppen in Eigendarstellung findet sich in der vom Senator für Gesundheit und Soziales herausgegebenen Broschüre "Hilfe durch Selbsthilfe". Einige größere Projekte, wo Alternative arbeiten oder sich treffen:

UFA-Fabrik

42, Viktoriastr. 13 (Nähe U-Bhf. Ullsteinstr.), Tel. 7 52 80 85. Ca. 70 Alternative leben und arbeiten in den ehemaligen Ufa-Studios: Kino, Gästehaus, Zirkus, Bäckerei, Sattlerei, Töpferei und viele andere Einrichtungen gibt es. Häufig Veranstaltungen, Informationsgespräche im Café. Die UFA-Fabrik ist inzwischen auch Träger eines geförderten Nachbarschafts- und Selbsthilfezentrums mit dem Ziel der Gesundheitsvorsorge als einem Schwerpunkt.

Ökodorf e.V.

30, Kurfürstenstr.14, Tel. 2612487.

Teestube jeden Mo (Kennenlerntag) 19-23 Uhr und bei Veranstaltungen geöffnet. Ein selbstverwaltetes Kommunikationszentrum, Treffpunkt für Arbeitsgruppen im Ökologiebereich.

Für schriftliche Infos:

Netzwerk-Selbsthilfe e.V.

Fonds für politische und alternative Projekte, 61, Gneisenaustr. 2 (im Mehringhof), Tel. 6 91 30 72. Netzwerk finanziert über Spenden alternative Projekte und versteht sich als Umschlagplatz für Ideen und Erfahrungen.

Leben - Lernen - Arbeiten in Berlin

Vielen jungen Berlin-Besuchern gefällt die Stadt so gut, daß sie hier ihr Studium oder ihre Weiterbildung absolvieren wollen. Eine gute Idee, denn keine andere deutsche Stadt bietet so umfassende Bildungsmöglichkeiten.

Obwohl die Arbeitslosenzahlen wie auch im Bundesgebiet relativ hoch sind, suchen die rund 2.300 Industrieunternehmen und 14.000 Handwerksbetriebe bestimmte Fachkräfte. Um die Wirtschaftskraft und damit die Lebenskraft Berlins zu erhalten, müssen die jeweils gefragten Fachleute zur Arbeitsaufnahme in Berlin motiviert werden.

Welche Berufe benötigt werden, welche Erleichterungen beim

Umzug nach Berlin gegeben werden und welche Hilfen denjenigen erwarten, der sich zum Bleiben entschließt, darüber informiert der **Informations- und Beratungsdienst für zuwandernde Arbeitnehmer** beim Senator für Wirtschaft und Arbeit, Martin-Luther-Str. 105, 1000 Berlin 62, Tel. 783 84 56 und 783 81 14. Von dort werden kostenlos aktuelle Informationsschriften versandt, z. B. die Broschüre "Berlin - eine Stadt stellt sich vor". Auch das **auskunfts- und beratungs-center -abc-**, Informationsdienst für Neuberliner, Hohenzollerndamm 125, 1000 Berlin 33, Tel.: 030/82 00 82 60 (Di-Fr 16-20 Uhr, Sa 11-14 Uhr), ist eine gute Kontaktadresse.

Über Aus- und Weiterbildungsmöglichkeiten an Berliner Universitäten, Hoch- und Fachschulen informiert die Broschüre **"Studienmöglichkeiten"**.

Berlin und die Dritte Welt

Wer an internationalen Beziehungen interessiert ist, insbesondere an Fragen der Nord-Süd-Beziehungen, an den Problemen der Länder der sogenannten Dritten Welt oder wer sogar daran denkt, als Entwicklungshelfer tätig zu werden, der findet in Berlin die besten Informationsquellen. Mit seinen ca. 150 staatlichen und privaten Einrichtungen der Forschung, Ausbildung und Beratung ist Berlin ein Zentrum der internationalen Zusammenarbeit. Wichtige Einrichtungen sind z. B.:

die **Deutsche Stiftung für internationale Entwicklung** (DSE), 30, Rauchstr. 22, Tel. 26 06 1. Aufgabe ist die Ausbildung von Führungskräften aus Entwicklungsländern. Das Entwicklungspolitische Informationszentrum (EPIZ) informiert in kostenlosen Veranstaltungen über entwicklungspolitische Fragen (Gruppenanmeldungen über Tel. 2606 226 und 332),

der **Deutsche Entwicklungsdienst** (DED), 22, Kladower Damm 299, Tel. 365 09 0. Er ist zuständig für die Vorbereitung von Entwicklungshelfern,

das **Deutsche Institut für Entwicklungspolitik**, 10, Fraunhoferstr. 33, Tel. 341 80 71. Es ist eine wissenschaftliche Forschungs-, Beratungs- und Ausbildungsstelle.

Kirchliches Leben

Rund 50 Prozent der Berliner gehören der Evangelischen, rund 14,9 Prozent der Katholischen Kirche an. Rund 6.000 Berliner bekennen sich zum jüdischen Glauben. Daneben bestehen ungefähr noch weitere 30 Religionsgemeinschaften. Insbesondere durch den Zuzug türkischer Gastarbeiter hat sich der Anteil der Moslems erhöht.

Etwa 17 Prozent der Berliner sind konfessionslos.

Die Teilung Berlins hat auch die Organisation der Kirche beeinflußt. Wiewohl die Evangelische Kirche in eine Ost- und eine Westregion geteilt ist, wurde das Prinzip der Einheit der Landeskirche mit einer gemeinsamen Kirchenverfassung nicht aufgegeben. Das Katholische Bistum umfaßt die beiden Teile der Stadt (und verschiedene Landesteile der DDR); es bestehen jedoch zwei Ordinariate, und der in Berlin (Ost) residierende Bischof kann an 30 Tagen im Quartal in Berlin (West) seine Amtsgeschäfte wahrnehmen.

Im folgenden nennen wir euch einige interessante und besuchenswerte Kirchen bzw. Glaubensstätten. Die Gottesdienstzeiten könnt ihr u. a. in der Mittwochsausgabe des Tagesspiegels oder im telefonischen Ansagedienst "Kirchliche Nachrichten", Tel. 11 57, erfahren. Weitere Auskünfte und Kontakte über die Adressen und Gruppen, die im Anschluß aufgeführt werden. Hinweise auf Musikveranstaltungen in evangelischen Kirchen unter Tel. 31 90 01 80, Mo-Fr 8-16 Uhr.

(Kaiser-Wilhelm-) Gedächtniskirche (ev.)
Im Kriege schwer zerstört, wurde beim Neubau 1959-61 nur die Turmruine erhalten (spätromanischer Stil); neu errichtet wurden in moderner Form Hauptbau, Turm, eine Sakristei und eine Kapelle. Kurzgottesdienste Mo-Fr 13, 17.30 und 18 Uhr.

Kirche am Hohenzollernplatz (ev.)
(31, Nassauische Str. 66, U-Bhf. Hohenzollernplatz) Hochaufragender Klinkersteinbau, 1930-33 von Höger errichtet.

Nazarethkirchen (ev.)
(65, Nazarethkirchstr. 50, U-Bhf. Leo-

poldplatz) Die alte, von Schinkel entworfene Kirche, ein Saalbau ohne Turm, wird als Gemeindehaus benutzt; Gottesdienste in der Neuen Nazarethkirche nebenan.

St. Nikolai (ev.)

(20, Reformationsplatz, U-Bhf. Altstadt Spandau, Bus 54). Schöne mittelalterliche Stadtkirche in Spandau, dreischiffiger Backsteinbau aus dem 15. Jahrhundert, wertvolles Inneres.

St. Peter und Paul (ev.)

(Wannsee, oberhalb der Pfaueninsel gelegen) Backsteinkirche, erbaut von Stüler und Schadow im russisch-byzantinischen Stil; eine schöne Kirche in reizvoller Ausflugslandschaft.

Maria Regina Martyrum (kath.)

(13, Heckerdamm 230, U-Bhf. Jakob-Kaiser-Platz, Busse 9, 21, 23, 62). Die 1963 eingeweihte Kirche ist Gedenkkirche für die Opfer für Glaubens- und Gewissensfreiheit 1933-1945; große Wandplastik im Innenhof. Seit 1984 ist ein Karmelkloster angegliedert. Nahebei die Gedenkstätte Plötzensee.

St. Ansgar (kath.)

(21, Klopstockstr. 31, U-Bhf. Hansaplatz) Moderner Kirchenbau im Hansaviertel; offener, 32 m hoher Glockenturm.

St. Annen (ev.)

(33, Thielallee 1, U-Bhf. Dahlem-Dorf) Aus dem 13. Jahrhundert stammende Dorfkirche, schönes Inneres.

Jüdisches Gemeindezentrum

(12, Fasanenstr. 79-80, Zoologischer Garten) Auf dem Grundstück der 1938 zerstörten Synagoge. Das alte Eingangsportal und eine Mahnsäule erinnern an das frühere Gotteshaus. Räu-

me für Gottesdienste, Veranstaltungen, Bibliothek, Restaurant.

Mohammedanische Moschee

(31, Brienner Str. 7/8, U-Bhf. Fehrbelliner Platz) Moschee mit Minaretten, maurischen Torbögen, Mauerzinnen. - Weitere Moscheen befinden sich in den Stadtteilen mit einem hohen Anteil an Gastarbeitern.

Russisch-orthodoxe Christi-Auferstehungs-Kathedrale

(31, Hohenzollerndamm 166, Busse 50,74) Typisch russisch-orthodoxes Kirchengebäude, mit fünf Türmen mit zwiebelförmigen Kuppeln.

Buddhistisches Haus

(28, Edelhofdamm 54, Tel. 4 01 55 80, S-Bhf. Frohnau, Busse 12,15) In den zwanziger Jahren für die Buddhistische Gemeinde gebaut: mit Buddha-Figur, Tierplastiken, Garten, Bibliothek. Die Mönche erklären gerne alles.

Zum Abschluß noch einige Adressen für Auskünfte und Kontakte:

Kirchlicher Besucherdienst der Evangelischen Kirche

21, Bachstr. 1-2, Tel. 39 09 12 15

Bischöfliches Ordinariat Berlin (West)

Referat Öffentlichkeitsarbeit, 19, Wundtstr. 48-50, Tel. 32 00 61 18

Jüdische Gemeinde zu Berlin

12, Fasanenstr. 79, Tel. 884 20 30, Hauptverwaltung: 15, Joachimstaler Str. 13

SIGHTSEEING

Selbst wir Berliner kennen längst nicht alles, was Berlin an Sehenswürdigkeiten bietet. Und in 2-3 Tagen oder einer Woche können auch Besichtigungs-Sprinter Berlin nicht abhaken. Sammelt also erste Eindrücke - allein, oder besser noch in kleinen Gruppen - und kommt im nächsten Urlaub oder übers Wochenende mal wieder. Fürs erste ist vielleicht eine **Stadtrundfahrt** ganz sinnvoll; anschließend, in jedem Falle empfehlenswert, der von uns zusammengestellte **City-Walk** durch das Zentrum. Für Leute, die mehr Zeit haben, haben wir zusätzlich noch eine Rundfahrt mit den öffentlichen Autobussen **(Im Doppeldecker durch Berlin)** und weitere, **besondere Stadtrundgänge** ausgearbeitet. Aus den späteren Abschnitten, z.B. "Berlin: eine Stadt der Museen, Schlösser und Sammlungen", "Stadtlexikon von A-Z" könnt ihr dann, ganz nach Herzenslust, euer weiteres Besichtigungsprogramm heraussuchen. Erwähnt sei in diesem Zusammenhang auch die technisch recht aufwendige Ton-Dia-Show "Story einer großen Stadt" im "Multivision Berlin" im Europa-Center (1. Obergeschoß, täglich 9-18 Uhr, Eintritt).

Und last not least die Dörfer, die Wälder, die Seen und Strände. Mitten in Berlin gibt es viel Natur, mehr, als man in einer Großstadt erwartet. Wer's nicht glaubt, sollte eine Schiffsfahrt oder einen Ausflug ins Grüne einplanen.

Besonders Interessierte können auf Anfrage noch weitere Publikationen erhalten, die Berlin unter verschiedenen Gesichtspunkten erschließen.

Stadtrundfahrten

Informationsfahrten für Gruppen durch Berlin (West) werden vom **Informationszentrum Berlin** durchgeführt. Einzelheiten dazu auf Anfrage.

Thematisch orientierte Rundfahrten, z. B. "Die 20er Jahre in Berlin", "Berlin um die Jahrhundertwende", "Industrialisierung in Berlin", werden von verschiedenen Organisationen - z. B. dem Kulturkontor (Tel. 310 888) oder der Berliner Geschichtswerkstatt (Tel. 215 44 50) - angeboten; Hinweise darauf in der Tagespresse bzw. den Stadtillustrierten.

Für die ganz Eiligen empfiehlt sich eine "Intensiv-Tour" mit einem der kommerziellen Rundfahrtunternehmen (nicht ganz billig). In 3-6 Stunden sieht man dabei das Wichtigste.

Severin & Kühn - Berliner Stadtrundfahrt
Tel. 8 83 10 15, Abfahrt: Ku'damm 216 (zwischen Uhland- und Fasanenstr.)

Berolina Sightseeing Tours
Tel. 8 83 31 31, Abfahrt: Meinekestr./
Ecke Ku'damm
Berliner Bären Stadtrundfahrt
Tel. 2 13 40 77, Abfahrt: Ku'damm/Ecke
Rankestr. (an der Gedächtniskirche)

BVB Stadtrundfahrten
Tel. 8 82 20 63, Abfahrt: Ku'damm Eck
(Joachimstaler Str./Ecke Kurfürsten-
damm)
Holiday Sightseeing
Tel. 88 42 07 11, Abfahrt: Harden-
bergstr. (am Zoo-Palast)

Berlin von oben

Der "Blick von oben" schafft die manchmal notwendige Distanz, um den Wald vor lauter Bäumen nicht aus den Augen zu verlieren. Aus der Vogelschau werden z. B. das städtische Berlin (Europa-Center), das geteilte Berlin (Siegessäule, besser noch vom Fernsehturm in Berlin [Ost]) oder das grüne Berlin (Grunewaldturm) zumindest visuell erfahrbar. Ob nun eine natürliche Erhebung (z. B. der Kreuzberg) oder ein Trümmerberg (z. B. der Teufelsberg) erklommen wird, macht weniger einen physischen Unterschied, sondern ist mehr eine Sache des wachen Bewußtseins. Der Versuch der Besteigung des "Schönebergs" (im Bezirk Schöneberg) einer Künstlergruppe vor etlichen Jahren scheiterte am Nichtvorhandensein eines gleichnamigen Berges; Kreuzberg dagegen hat seinen Kreuzberg.

Europa-Center: 90 m, Fernrohrstraße, Blick auf Ku'damm, Zooviertel, Tauentzienstraße, Tiergarten und Stadtteile ringsum.

Funkturm: Aussichtsplattform 125 m (Lift täglich 10-23 Uhr), Blick auf Messegelände, Avus, Olympiastadion, Grunewald und, schon etwas entfernt, West-Berliner City. Restaurant in 55 m Höhe.

Siegessäule: Aussichtsplattform 48 m (285 Stufen, kein Fahrstuhl, täglich 10-17.30 Uhr, Mo ab 13 Uhr), Blick über den Tiergarten auf das Hansaviertel und die Silhouette des West-Berliner und, hinter dem Brandenburger Tor, des Ost-Berliner Zentrums.

Grunewaldturm: 56 m hoch auf dem 79 m hohen Karlsberg an der Havelchaussee, 105 m über der Havel (204 Stufen, kein Fahrstuhl, täglich von 10 Uhr bis Eintritt der Dunkelheit, im Winter geschlossen), herrlicher Blick über Grunewald und Havel auf die Dörfer am gegenüberliegenden Ufer, bis nach Potsdam im Süden und Spandau im Norden.

Glockenturm am Olympia-stadion: 77 m (täglich 10-17.30 Uhr, Aufzug, Tel. 305 81 23), Rundblick auf Olympiagelände, Stadt und Havellandschaft.

Kreuzberg: höchste Erhebung im Stadtinnenbereich, 66 m, mit Blick über Teile des gleichnamigen Bezirks. Der Wasserfall zu seinen Füßen dagegen ist künstlich angelegt. Das Denkmal für die Freiheitskriege stammt von K. F. Schinkel.

Teufelsberg: bepflanzter Trümmerberg, mit 120 m höchste Erhebung Berlins. Blick über Grunewald und Havellandschaft, in der Ferne die West-Berliner City.

Was man eigentlich gesehen haben sollte

Es ist natürlich generell riskant, eine Liste der Sehenswürdigkeiten anzufertigen, die man unbedingt gesehen haben sollte. Wir tun es dennoch, trotz aller Einwände! Im "Stadtlexikon von A-Z" findet ihr ausreichend Erläuterungen, um dann endgültig zu entscheiden, inwieweit ihr unsere Vorschläge mit euren Plänen verknüpfen könnt. Einen Besuch von Berlin (Ost), dem historischen Zentrum Berlins, solltet ihr, soweit irgend möglich, auch einplanen. Schließlich: zu einem Berlinbesuch gehören sicherlich auch ein Theater-, Opern- und/oder Konzertbesuch, ein Einkaufsbummel im KaDeWe, vielleicht auch auf einem Wochen- oder Trödelmarkt, ein Streifzug durch einige Musikkneipen usw. usw. ... alles keine typischen Reiseführersehenswürdigkeiten, aber sehenswerter bzw. erlebenswerter Bestandteil des Stadtbesuches allemal.

Das historische Berlin
- Schloß Charlottenburg

Das kulturelle Berlin
- Dahlemer Museen
  (insbesondere: Gemäldegalerie, Museum für Völkerkunde)
- Ägyptisches Museum
  (mit der "Nofretete")
- Neue Nationalgalerie
  (Bildende Kunst des 19. und 20. Jahrhunderts)

Berlin heute
- Kurfürstendamm und Kaiser-Wilhelm-Gedächtniskirche
- Bezirk Kreuzberg (insbesondere rund um den Chamissoplatz)
- Funkturm und Internationales Congress Centrum (ICC)

Die geteilte Stadt
- Die Mauer (zwischen Brandenburger Tor und Potsdamer Platz)

Das grüne Berlin
- Zoologischer Garten
- Pfaueninsel

City-Walk

Länge: 6,5 km
Dauer: zwischen 30 Minuten (für durchtrainierte Jogger) und 5 Stunden (bei lässigem Bummel mit kleinen Pausen)

Berlin zu Fuß, genauer: Berlin (West) zu Fuß, das ist eigentlich nicht zu machen! Dazu ist es eine zu große Stadt, und viele ihrer Sehenswürdigkeiten liegen zu weit voneinander entfernt. Wenn wir euch dennoch einen City-Walk vorschlagen, so deshalb: Wir wollen euch ein wenig vom Ku'damm weglocken. Den Ku'damm, den zeigen wir euch natürlich auch, denn die Berliner sind, auch wenn sie ab und zu meckern, letztlich doch sehr stolz auf ihn. Sie bummeln dort nur allzu gern, wie ihr feststellen werdet. Doch Berlin, das ist nicht nur der Ku'damm. Das sind auch die lebendigen Stadtstraßen mit den ausgeflippten Boutiquen, den alternativen Läden, den Trödelgeschäften, den - ja, die gibt es wirklich noch - Tante-Emma-Läden und, und, und. Das sind auch die Straßen mit den breiten Bürgersteigen, den Bäumen und den großstädtischen Häuserzeilen aus der Zeit um 1900 mit den herrlichen Fassaden (auch oder gerade, wenn diese schon bröckeln) und der Welt der Hinterhöfe. Und dann die Eckkneipen, die kleinen Gartenrestaurants! Fotofreunde werden die brüchige S-Bahn-Architektur als Motiv entdecken. Berlin, dazu gehören die noch immer durch die Zerstörung im Krieg entstandenen Lücken und freien Flächen zwischen den Häuserzeilen und das, was der Wiederaufbau aus ihnen gemacht hat. Immer häufiger zeigt sich jedoch auch Restauriertes. Wenn man den touristischen Hauptpfad erst einmal verlassen hat, dann wird man vieles entdecken und natürlich nicht nur das, was wir kurz beschrieben haben. Macht euch auf Überraschungen gefaßt! Sprecht mit Berlinern, und jeder wird euch von einem anderen Berlin erzählen. Fragt sie nach ihren persönlichen Tips! Im Vertrauen: so groß ist die Berliner Schauze oft gar nicht. Schließlich: Laßt euch Zeit für einen Streifzug, gebt euch neugierig, interes-

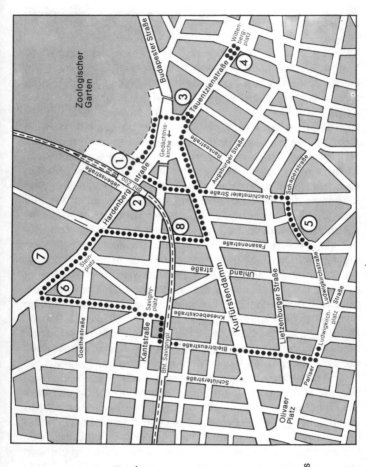

① Bahnhof
  Zoologischer
  Garten

② Informations-
  zentrum Berlin

③ Europa-Center

④ KaDeWe

⑤ Freie Volks-
  bühne

⑥ Renaissance-
  Theater

⑦ Technische
  Universität
  Berlin

⑧ Jüdisches
  Gemeindehaus

siert, aber auch gelassen. Im folgenden in Stichworten unser Rundgang: fett Gedrucktes wird ausführlich im Stadtlexikon bzw. in den entsprechenden Abschnitten behandelt:

Wir verlassen den **Bhf. Zoologischer Garten** ① zum Hardenbergplatz (Endstation vieler Buslinien). Über den Ausgang auf der gegenüberliegenden Seite gelangen wir zur Jebensstr. - hier befindet sich die **Kunstbibliothek** - und, uns links haltend, auf die Hardenbergstr.: auf der gegenüberliegenden Seite das **Amerika-Haus** (Nr. 22), rechts davon das **British Centre** (Nr. 20) und das **Informationszentrum Berlin** ② (ebenfalls Nr. 20; für spezielle, nicht touristische Auskünfte). Am Hardenbergplatz liegt einer der beiden Eingänge zum **Zoologischen Garten**, zwischen Bahn und Zoobegrenzung führt ein Weg in den **Tiergarten**, den großen innerstädtischen Park Berlins. Wir überqueren den Hardenbergplatz in Richtung **Gedächtniskirche**. Links ein größerer Komplex mit verschiedenen Filmtheatern (Stichwort Filmfestspiele). Wir erreichen einen langgestreckten Gebäudekomplex mit einer Geschäftspassage; hier befinden sich auch die **Staatliche Kunsthalle** (mit sympathischer Cafeteria) und der Info-Laden der Berliner Festspiele GmbH (Veranstalter der Berliner Festwochen, des Theatertreffens, der Filmfestspiele, z. B.).

Rechts von uns jetzt die Gedächtniskirche und schräg dahinter das **Europa-Center** ③ , dazwischen ein neugestalteter Platz mit der Brunnenplastik von Joachim Schmettau. Wir erreichen das Europa-Center, wenn wir kurz vor Ende der Passage die Budapester Str. überqueren. (Einige Schritte weiter die Budapester Str. entlang das neue, kugelförmige Kino **Panorama Berlin** mit 360-Grad-Filmen, das **Berliner Aquarium** und der zweite Zooeingang, das "Elefantentor".)

Fürs Europa-Center nur zwei Hinweise: Holt euch im dortigen **Verkehrsamt Berlin** die noch fehlenden Berlin-Informationen (auch Zimmervermittlung) und schaut euch von der Fernrohrstraße Berlin von oben an! Ansonsten: die Welt des Europa-Centers muß man schon alleine entdecken.

Wir verlassen das Europa-Center zur Tauentzienstr. hin und schlendern auf dieser belebten Geschäftsstraße bis zum

Wittenbergplatz. Durchaus sehenswert: das schöne Innere des restaurierten U-Bahnhofes Wittenbergplatz. Dort ist auch Berlins Konsumtempel, das **KaDeWe** ④ ; hier kehren wir um und laufen jetzt auf der andern Straßenseite zurück zur Gedächtniskirche. Dort beginnt der 3,5 km lange **Ku'damm**; gleich zu Beginn: zwei große Kinozentren mit jeweils mehreren Kinos. Wir wollen den Ku'damm jedoch schon wenige Schritte hinter Berlins zweitem großen Kaufhaus, Wertheim, am Ku'damm-Eck (verschiedenste Geschäfte in mehreren Etagen, Wachsfigurenkabinett "Panoptikum") verlassen und gehen die Joachimstaler Str. links runter. Auf der rechten Seite, einige Schritte weiter, beginnt wiederum eine kleine moderne Ladenstadt, wo sich auch das **Ku'dorf** befindet (viele Kneipen, Pinten, Live-Musik usw.; für den Abend merken!). Wir überqueren die Lietzenburger Str. (Entlastungsstraße für den Ku'damm) und, bevor wir an der gleich darauffolgenden Ecke in die Schaperstr. rechts einbiegen, blicken wir noch kurz nach vorne: rechts das ehemalige **Joachimsthalsche Gymnasium** (schöner Backsteinbau), das Gebäude gegenüber mit der Bundesflagge ist das **Bundeshaus,** Sitz des Bevollmächtigten der Bundesregierung. In der Schaperstr. gleich links dann die **Freie Volksbühne** ⑤ : ein moderner Theaterbau, umgeben von schönen Bäumen. An einigen hochherrschaftlichen Wohnbauten vorbei, über den Fasanenplatz in die Ludwigkirchstr.: eine "bevorzugte" Gegend mit Galerien, hübschen Geschäften - sehr pfiffig zum Teil - und kleinen, lebhaften Restaurants vorwiegend jugendlich-lässiger Prägung. Über den Ludwigkirchplatz (beschaulicher Platz mit typischer Kirche der "Backsteingotik", viel Grün und dennoch Großstadt) gelangen wir in die Pariser Str. (kleine Kneipen, Antiquitätengeschäfte, führt auf die Kneipenbummelzone des **Olivaer Platzes**), die wir jedoch schon an der Sächsischen Str. nach rechts abbiegend verlassen.

Diese setzt sich auf der anderen Seite der Lietzenburger Str. als Bleibtreustr. fort; wir wollen diese (vielleicht schönste) Seitenstraße des Ku'damms ein gutes Stück entlangbummeln. Was diese Straßen übrigens so sympathisch macht: sie leben, weil hier auch die Menschen leben (die großen Stadtwohnungen die-

ser Gegend sind deshalb auch so begehrt). Tip: Schaut in eines der Restaurants in dieser Straße mal rein, um ein wenig zu entspannen!

Hinter der Überführung der **S-Bahn** (auch Fernzüge) wenden wir uns sofort nach rechts und gelangen durch die S-Bahn-Passage (S-Bahnhof Savignyplatz) auf den Savignyplatz. Interessant, wie sich verschiedene Geschäfte die Brückenbögen unter der S-Bahn zunutze gemacht haben (sehr schön z. B. der "Bücherbogen"). Am Savignyplatz: essen, trinken, Bücher kaufen, auf der Parkbank sitzen - alles möglich.

Wir verlassen den Platz in nördlicher Richtung und gelangen über die Knesebeckstr. (Buchhandlungen) zur Hardenbergstr. (an der Ecke das **Renaissance-Theater**) ⑥ : links Blick auf den verkehrsreichen Ernst-Reuter-Platz (am Rande modernste Geschäftsbauten, Verkehrsführung über einen Kreisverkehr großen Ausmaßes). Wir wenden uns jedoch nach rechts und laufen die großzügig geplante Hardenbergstr. (Straßenlaternen!) in Richtung Zoo, passieren den Steinplatz - linker Hand Bauten der **Technischen Universität Berlin** (u. a. auch die Mensa) ⑦ , die **Hochschule der Künste, Konzertsaal der Hochschule der Künste** - und biegen erst an der Fasanenstr. (Industrie- und Handelskammer/Börse) wieder rechts ab. Wir überqueren die Kantstraße (zur Linken das prachtvoll restaurierte **Theater des Westens**); gleich hinter der Eisenbahnüberführung, links, das **Jüdische Gemeindehaus** ⑧ . Wir gelangen wieder auf den Ku'damm (an der weiterführenden Fasanenstr., gleich rechts, die schöne Stadtvilla Grisebach, das Käthe-Kollwitz-Museum und das Literaturhaus mit Räumen für vielfältige künstlerische Aktivitäten), schlendern einige Schritte nach rechts, werfen einen Blick in das **Ku'damm-Karree** (Ladenstadt), bummeln wieder zurück mit Blick auf die Gedächtniskirche und kehren, links uns haltend, über die Joachimstaler Str. zurück zum Ausgangspunkt unseres Streifzuges.

Im Doppeldecker durch Berlin: Eine Rundfahrt

Vorbemerkung: "Doppeldecker", das sind die großen gelben doppelstöckigen Busse der BVG. Unser Vorschlag: eine Rundfahrt mit diesen Bussen, und zwar so, daß wir einfach drei Linien in geschickter Weise nacheinander benutzen, also jeweils in die nächste Linie umsteigen und schließlich am Ausgangspunkt unserer Rundfahrt wieder anlangen. Die Kombination der Buslinien 29 - 4 - 48 macht dies z. B. möglich. Dabei sehen wir nicht nur eine ganze Menge von Berlin - besonderen Spaß macht die ganze Geschichte, wenn wir uns im Bus in die erste Reihe nach oben setzen -, sondern wir werden zugleich auch Profis im Busfahren. Und das in einer guten Stunde, denn so lange dauert die Fahrt, wenn die Anschlüsse einigermaßen klappen. Anhand des Liniennetzplans der BVG (DM 2,-), der auch eine Karte vom Zentrum Berlins enthält, läßt sich unsere Route gut verfolgen.

Zu beachten: Wenn die Tour innerhalb von zwei Stunden abgeschlossen wird - was gut zu schaffen ist - genügt ein Einzelfahrschein zum Normaltarif bzw. das einmalige Abstempeln der Sammelkarte.

Wir besteigen die Buslinie **29 (Richtung Roseneck)** an der **Gedächtniskirche** (natürlich können wir auch an anderer Stelle "aufspringen"; am Prinzip ändert sich dadurch nichts) und fahren in Richtung Westen den **Kurfürstendamm** entlang, vorbei am **Adenauerplatz,** Lehniner Platz (links die Schaubühne, Berlins überregional bekanntes Theater) und erreichen schließlich den Henriettenplatz. (Die Stationen werden jeweils ausgerufen, so daß eigentlich nichts schiefgehen kann. Oder den Fahrer beim Einsteigen bitten, auf unsere Station besonders aufmerksam zu machen!) Wir haben jetzt ca. 3,2 Kilometer des 3,5 Kilometer langen Kurfürstendamms kennengelernt, als Bummelboulevard in aller Welt bekannt. Der Blick aus dem Bus vermittelt schon viel von dieser Atmosphäre, zum richtigen Ku'damm-Erlebnis wird jedoch erst das Schlendern und Bummeln zu Fuß.

Am Henriettenplatz steigen wir in die Linie **4 (Richtung Teupitzer Straße)** um und fahren in südöstlicher Richtung erst einmal entlang der Westfälischen Straße durch den Bezirk Wilmersdorf; in dieser Gegend ein gutbürgerlicher Bezirk. Wir überqueren den Fehrbelliner Platz, einen wichtigen Verkehrsknotenpunkt und zugleich Ort verschiedenster öffentlicher Einrichtungen (Rathaus Wilmersdorf, Senator für Inneres, Senator für Bau und Wohnungswesen, Bundesversicherungsanstalt für Angestellte): Zu den Stoßzeiten wimmelt es hier von Menschen. Auffällig: die Gebäudeanlage aus den 30er Jahren und der poppige U-Bahnhof. Es geht weiter über die Brandenburgische Straße, Berliner Straße und Badensche Straße Richtung **Rathaus Schöneberg** (John-F.-Kennedy-Platz). Rechts abbiegend, sehen wir jetzt rechter Hand die Vorderseite des Rathauses, zugleich Rathaus für den Bezirk Schöneberg und Sitz des Abgeordnetenhauses und des Senats von Berlin (West) mit dem Regierenden Bürgermeister. Wenn wir Glück haben, ist gerade Markttag direkt vor dem Rathaus. Kurz danach erreichen wir die Busstation **Hauptstraße**, wo wir in die Linie **48 (Richtung Philharmonie)** umsteigen und Richtung Nordosten weiterfahren. Die Haupt- und die sich anschließende Potsdamer Straße sind Teil des alten Straßenzuges, der früher Potsdam mit Berlin (Mitte) verband. - Gleich zu Anfang begegnen wir Resten von **Alt-Schöneberg:** in der Mitte der Hauptstraße die baumbestandene Mittelpromenade der früheren Dorfaue, links, auf der anderen Straßenseite, die hübsche Dorfkirche aus dem 18. Jahrhundert (im Hintergrund die eigenwillige Paul-Gerhardt-Kirche, 1962 erbaut), an die sich mehrere Landhäuser aus der Zeit von 1865-80 anreihen. - Weiter geht's über den Kaiser-Wilhelm-Platz (rechts ein schöner Komplex großstädtischer Architektur) und dann den "Schöneberg" hinab bis zur Grunewaldstraße (in dem Gebäude links Teile der Hochschule der Künste). Der weitere Straßenverlauf heißt von hier ab Potsdamer Straße. Links, direkt im Anschluß an die Hauptverwaltung der BVG, öffnen sich die Königskolonnaden zum Heinrich-von-Kleist-Park mit dem früheren **Kammergericht** (Sitz des Alliierten Kontrollrats, 1971 wurde hier das Vier-Mächte-Abkommen über Berlin unterzeichnet). Es folgt die Kreuzung Pallasstraße; bis 1974 stand hier der berühmte Sportpalast, bekannt durch sportliche Großveranstaltungen, aber auch durch Massenveranstaltungen in der Nazi-Zeit. Der sich anschließende Teil der Potsdamer Straße (ungefähr bis zur Lützowstraße) ist zugleich Durchgangsstraße, Kiez, ein wenig Reeperbahn sowie mit türkischen Geschäften durchsetzte

Einkaufsstraße: ein gedrängter Einblick in ein Berlin, wie es Touristen im allgemeinen nicht erleben bzw. erwarten. (Der Türkische Basar auf dem früheren U-(Hoch)Bahnhof Bülowstraße, den wir unterqueren, lohnt kaum einen Besuch: Video und viel Tand prägen das Bild.) Kurz vor der Lützowstraße, rechter Hand, der Neubau der Berliner Zeitung "Der Tagesspiegel".

An der Station **Potsdamer Brücke** verlassen wir die Linie 48, überqueren zu Fuß die Potsdamer Brücke (unter uns der Landwehrkanal; vgl. auch das Stichwort Verkehrsmittel/Schiffe, wo eine Schiffstour angegeben ist, die auch an dieser Stelle vorbeiführt) und steigen, direkt an der **Nationalgalerie** in die uns schon bekannte Linie **29 (Richtung Roseneck)**. Vor uns liegt das sich entwickelnde Kulturzentrum Tiergarten (vgl. das Stichwort hierzu) mit u. a. der **Staatsbibliothek** (rechter Hand), der **Philharmonie,** dem **Kunstgewerbemuseum**, dem **Musikinstrumentenmuseum** (linker Hand) und weiteren, sich im Bau befindlichen Gebäuden. (Nur wenige hundert Meter weiter endet die Potsdamer Straße am **Potsdamer Platz**, direkt an der **Mauer**.) Die Fahrt mit der Linie 29 führt uns zunächst am Landwehrkanal entlang, vorbei am architektonisch berühmten Shell-Haus (1930-32; heute Sitz der Bewag-Hauptverwaltung - Berliner Kraft- und Licht-AG) mit seiner stufig gestalteten Hauptfassade und an der Gedenkstätte Deutscher Widerstand (in der Stauffenbergstr.; s. **Gedenkstätten**). Rechter Hand, etwas entfernt, sehen wir Reste des früheren Diplomatenviertels, am Südrand des **Tiergartens** gelegen. Im weiten Bogen biegen wir nach links auf den Lützowplatz ein, passieren dabei den eigenwillig modernen Gropius-Bau des **Bauhaus Archives/Museum für Gestaltung** und stoßen schließlich auf die Kleiststraße (links die Bildungsstätte der **Urania**), wo wir rechts abbiegen. Vor uns der Tempelbau des U-Bahnhofs **Wittenbergplatz**. Es beginnt die Tauentzienstraße, die führende Einkaufsmeile der Berliner; gleich am Anfang zur Linken schon ein Höhepunkt, das Superkaufhaus **KaDeWe**. Am Ende des "Tauentziens" erkennen wir schon die Gedächtniskirche und den hohen Baukörper des **Europa-Centers.** Wir haben damit den Kreis unserer Busrundtour geschlossen, im glücklichen Fall nach ungefähr einer Stunde.

Der besondere Stadtrundgang:

Zwischen Nollendorfplatz und Winterfeldtplatz

Länge: 1-1,5 km
Dauer: 1-3 Stunden

Dieser kleine Stadtbummel führt euch zu einem Flohmarkt und einem Wochenmarkt inmitten einer Stadtlandschaft, wie sie für Berlin typisch ist: Altbauten und Neubauten, architektonisch Gelungenes und Verkorkstes dicht nebeneinander, Ruinöses und Beton.

Die besten Zeiten für diesen kleinen Bummel: der **Mittwoch**- oder **Samstagvormittag**; an diesen Tagen ist Wochenmarkt. Besonders ungünstig: der Dienstag; an diesem Tag hat keiner der beiden Märkte geöffnet. Zum Nollendorfplatz, dem Ausgangspunkt des Bummels, gelangt ihr am bequemsten mit der U-Bahn.

Der **Flohmarkt U-Bahnhof Nollendorfplatz** (Tel. 2 16 75 46; täglich außer Di 11-19 Uhr) wurde auf dem stillgelegten Teil des U-Bahnhofs eingerichtet. Dazu müßt ihr aus dem "Untergrund" zum über der Erde gelegenen Teil des Bahnhofs, dem früheren Hochbahnteil, emporsteigen. Alte Waggons der U-Bahn dienen als Läden. Im Angebot: alles zwischen Trödel, Schnickschnack und hochwertigen Antiquitäten. Eine Kneipe im Berliner Stil und ein kleines Zille-Museum (Eintritt) gehören zum Markt.

Seid ihr jedoch schon etwas später dran, dann besser erst einmal zum Wochenmarkt. Dazu verlaßt ihr den Bahnhof, überquert den Nollendorfplatz in Richtung Maaßenstr. (am Nollendorfplatz befindet sich auch die bekannte Musikarena, das "Metropol"). Gleich am Beginn der Maaßenstr., auf der rechten Seite, ein prima Second-Hand-Shop: "Martello's". Wir kreuzen dann die Nollendorfstr. - in dem rechts wegführenden Teil u. a. einige Trödelgeschäfte - und stoßen auf den Winterfeldtplatz.

Er wird am hinteren Ende durch den großen Backsteinbau der St.-Matthias-Kirche begrenzt. Rechts und links neue und alte Architektur mit Kneipen und einigen Geschäften. Die Hauptattraktion jedoch ist der große **Wochenmarkt** auf dem Platz (Mi und Sa 8-13 Uhr). Das Warenangebot ist reichhaltig: Blumen,Lebensmittel,Obst, Haushaltskram, Makrobiotisches, Kunsthandwerkliches, türkische Spezialitäten usw.; viele Sonderangebote, wenn es auf 13 Uhr zugeht. Die Atmosphäre ist immer lebhaft. (Wer noch etwas Zeit hat, sollte ruhig ein wenig die Goltzstaße, die sich an der Kirche vorbei nach Süden hin erstreckt, entlangbummeln: Kneipen, Trödelläden, flippige Modegeschäfte erwarten ihn.)

Auf dem Rückweg zum Nollendorfplatz durch die Maaßenstr. schauen wir noch einmal rechts in die Fußgängerzone der Nollendorfstr.: schön sanierter und restaurierter Altbau.

Mit der Linie 1 nach Kreuzberg

Nach Kreuzberg fährt man am besten mit der U-Bahn. Schon deshalb, weil die Linie 1 (berühmt geworden durch das gleichnamige, sehens- und erlebenswerte Theaterstück des Grips-Theaters), ganz Kreuzberg ab Bahnhof Gleisdreieck als Hochbahn durchquert. Ihr seht also schon bei der Hinfahrt eine Menge von diesem bekanntesten Berliner Bezirk. Hinter dem Bahnhof Kurfürstenstraße verläßt die U-Bahn ihren Tunnel, fährt mitten durch ein Wohnhaus und ab da auf einer altehrwürdigen Stahlkonstruktion als rollende Aussichtsplattform bis zum Schlesischen Tor. Zuerst seht

ihr die großen, aber kaum noch genutzten Gleisanlagen des ehemaligen Anhalter Güterbahnhofs. Seit Kriegsende hat sich hier fast ungestört eine vielfältige Spontanvegetation entwickelt. Nach links biegt auf einer alten U-Bahn-Trasse die neue M(agnet)-Bahn Richtung Kulturzentrum Kemperplatz ab. Rechts springen die Fassadengestaltung und einige Exponate des **Museums für Verkehr und Technik** ins Auge. Ab hier verläuft die Strecke neben und über dem Landwehrkanal. Das dunkle Hochhaus links beherbergt das Postgiroamt Berlin. Gleich hinter dem Bahnhof

Hallesches Tor sieht man die frühere Spielstätte der "Schaubühne am Halleschen Ufer", die durch und mit dem Regisseur Peter Stein weltberühmt wurde. Heute hat hier die Theatermanufaktur ihren Platz. Rechts im Hintergrund taucht die **Amerika-Gedenkbibliothek** auf. Der repräsentative Altbau links mit den beiden Ecktürmen ist das Patentamt. Die große Kuppelkirche ist die auch Kreuzberger Dom genannte Kirche zum Heiligen Kreuz. Hinter dem Bahnhof Prinzenstraße, am Wassertorplatz, beginnt der Bereich Kreuzberg SO 36. Hier ballt sich dicht, was in den letzten Jahren Kreuzberg in die Schlagzeilen gebracht hat. Am Kottbusser Tor präsentieren sich die Beispiele verfehlter Abriß-und Neubaupolitik, aufwendiger Sanierung und heruntergekommener Altbauten auf einen Blick. Hier beginnt der folgende Stadtrundgang. Den weiteren Verlauf der Linie 1 erlebt ihr bei der Rückfahrt ab Endstation, dem eindrucksvoll restaurierten Bahnhof Schlesisches Tor.

U1

- Zoologischer Garten
- Wittenbergplatz
- Nollendorfplatz
- Kurfürstenstraße
- Gleisdreieck
- Möckernbrücke
- Hallesches Tor
- Prinzenstraße
- Kottbusser Tor
- Görlitzer Bhf.
- Schlesisches Tor

Der besondere Stadtrundgang: Kreuzberg

Länge: ca. 3 km
Dauer: mindestens eine Stunde (ohne Pausen)

Dieser Rundgang führt ins alte "SO 36", den östlichen Teil Kreuzbergs. SO steht für Südost (vom historischen Stadtkern Berlins aus gesehen) und 36 bezeichnete früher den Postzustellbereich. Kreuzberg, früher ein typischer Arbeiterbezirk Berlins, hat sich in den letzten 20 Jahren tiefgreifend gewandelt: In SO 36 prägen heute türkische Gastarbeiter mit ihren Familien und Geschäften, Studenten, Alternative sowie Punks neben alteingesessenen Bewohnern und den vielen kleinen Gewerbebetrieben auf den Hinterhöfen das Bild. So bunt und unterschiedlich wie die Bewohner ist auch die Architektur in diesem Bezirk. Alte Mietskasernen mit sehenswerten Hinterhöfen, renovierte Alt-Berliner Häuser mit schönen Stuckfassaden oder moderne Neubauten. Nehmt euch etwas Zeit, um hier und da die Hinterhöfe anzusehen oder in den zahlreichen Trödelgeschäften nach Kuriositäten zu fahnden.

Wir beginnen am **U-Bahnhof Kottbusser Tor**. Den Bahnhof verlaßt ihr durch den linken Ausgang. Ihr seht dann einen die Adalbertstraße überspannenden Neubau. Hinter der Überbauung ist rechts ein sehenswerter Trödelladen in einem uralten Hinterhof. Etwas weiter ist links der türkische Stehimbiß Cucurova, gegenüber das türkische Restaurant Samsun - beide empfehlenswert. Dann rechts in die **Oranienstraße** und bis zum Heinrichplatz. In der Oranienstraße gibt es viele türkische Kneipen und Geschäfte. Am Heinrichplatz links, dann gelangt ihr zum **Mariannenplatz.** Hier seht ihr sofort das imposante ehemalige Krankenhaus **Bethanien.** Dieser schöne Bau aus der Mitte des 19. Jahrhunderts wurde im 2. Weltkrieg schwer zerstört und anschließend wieder aufgebaut. Bis 1970 wurde die Anlage als Krankenhaus benutzt. Seitdem sind hier Ausstellungsräume, Künstlerateliers und andere kulturelle Organisatio-

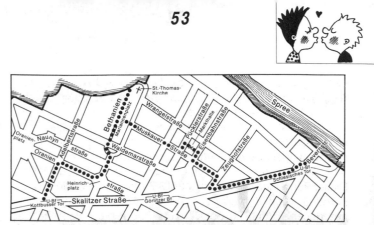

nen untergebracht. Auf dem Mariannenplatz selbst finden oft Stadtteilfeste, Kulturveranstaltungen, Rock-Konzerte und deutsch-türkische Feste statt. Hinter der weithin sichtbaren St.-Thomas-Kirche, der größten Kirche von Berlin (West), verläuft die Mauer. Hier steht eine kleine Aussichtsplattform für einen Blick in den anderer Teil der Stadt. Die Mauer ähnelt hier einer Wandzeitung: Hunderte von Sprüchen und Zeichnungen zeugen von der oft auch zweifelhaften Spontaneität der Anwohner und Besucher. Gegenüber dem Haupteingang von Bethanien beginnt die **Muskauer Straße**, eine typische Wohnstraße mit sehr schönen renovierten Alt-Berliner Häusern und geradezu klassischen Stuckfassaden. Die zweite Querstraße hinter dem Mariannenplatz (Pücklerstraße) geht ihr links. Nach wenigen Metern rechts der Eingang in die **Eisenbahn-Markthalle** (offen Mo-Fr 7.30-18 Uhr, Sa 8-13 Uhr). Diese Markthalle ist von mittlerer Größe; sehenswert vor allem die Backsteinfassaden der beiden Eingänge und die Eisenkonstruktion im Inneren. Hier gibt es unterschiedlichste Warenangebote: Lebensmittel, Blumen, Bekleidung, Imbißstände, Kitsch und Krams usw. Ihr verlaßt die Halle durch den anderen Ausgang und steht dann in der Eisenbahnstraße. Schräg gegenüber kann man im **Gasthaus Mewes** (Eisenbahnstraße 6, 11-22 Uhr, Tel. 6 12 74 61, Di und Sa geschlossen) sehr gut und preiswert Berliner und Deutsche Küche genießen. Nach dem Besuch der Markthalle wieder rechts zur **Muskauer Straße.** Biegt links ein und geht bis zur **Zeughofstraße.** Dort seht ihr schon die weiterhin als Hochbahn geführte U-Bahn. Haltet euch weiter links. Unter den Schienen oder auf dem Bürgersteig der **Skalitzer Straße** geht ihr dann bis zum **U-Bahnhof Schlesisches Tor**. Wenn ihr halblinks in die **Bevernstraße** einbiegt, gelangt ihr ans Ufer der Spree. Rechts die **Oberbaumbrücke** und eine weitere Aussichtsplattform. An der Oberbaumbrücke befindet sich ein Fußgängerübergang nach Berlin (Ost), den aber nur West-Berliner benutzen dürfen. Durch die Oberbaumstraße wieder zum Schlesischen Tor und von dort mit der U-Bahn zurück in die City.

Mit dem Bus 29 zu Bauten der IBA

Die **Internationale Bauausstellung Berlin 1987 (IBA)** ist schon die vierte Bauausstellung nach 1910, 1931 und 1957. Unter dem Motto "Die Innenstadt als Wohnort" wurden mit großem Aufwand mehr als 150 Objekte, also Wohnhäuser, Plätze, Stadterneuerung, Altbausanierung und ganze Neubaugebiete, durchgeführt. In den 20er und 30er Jahren waren es berühmte Architekten wie Martin Wagner, Bruno Taut, Walter Gropius, Mies van der Rohe, unter deren Leitung u.a. die Hufeisensiedlung in Britz, die Waldsiedlung in Zehlendorf, die Großsiedlung Siemensstadt, die Weiße Stadt in Reinickendorf entstanden, die bis heute als vorbildliche städtebauliche Leistungen gelten. Zur Interbau 1957 entstanden z.B. das Hansaviertel in Tiergarten und das Le Corbusier-Haus in Charlottenburg.

Zur IBA 1987 wurden u.a. Demonstrationsgebiete im südlichen Tiergartenviertel und insbesondere im durch Kriegseinwirkungen, Abrißpolitik und Verfall gebeutelten Bezirk Kreuzberg geschaffen. Ein Großteil der Bauten sind inzwischen vollendet, und weitere kommen laufend hinzu.

Unsere Tour mit der Buslinie 29 führt vom südlichen Tiergartenviertel nach Kreuzberg in die südliche Friedrichstadt, die Luisenstadt und SO 36. Dabei kann man sich einen ersten Eindruck von den Bauten vorwiegend "postmoderner" Prägung (z.B. Stadthäuser an der Lützowstraße, Wohnbauten an der Kochstraße) verschaffen, aber auch Ansätze der sogenannten "behutsamen Stadterneuerung" (z.B. am Moritzplatz, an der Skalitzer Straße) sehen. An manchen Stellen empfiehlt sich eine intensivere Besichtigung zu Fuß.

Der 29er Bus fährt vom Roseneck über den ganzen Kurfürstendamm bis zum Hermannplatz in Neukölln. Zusteigemöglichkeiten sind also reichlich gegeben.

Am südlichen Tiergartenrand entlang

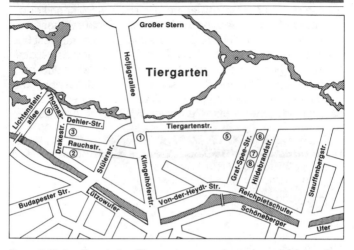

Der südliche Rand des Tiergarten war einst eine piekfeine Gegend. Besondere Bedeutung gewann sie ab 1937, als hier das Diplomatenviertel entstand. Von der ehemaligen protzigen Pracht nationalsozialistischer Planung und Architektur blieb nach dem Krieg nur wenig übrig, das Gebiet verwahrloste, war ein Dorado für wilde Kaninchen. Seit einigen Jahren werden vom Senat Konzepte für eine neue Nutzung noch bestehender Bauten entwickelt - das Viertel hat wieder Zukunft.

Der Ausgangspunkt für einen Spaziergang durch das südliche Tiergartenviertel ist die Bushaltestelle Tiergartenstraße/Hofjägerallee ① der Linien 16, 24, 69. Über die Stülerstraße gelangt man in die Rauchstraße. Vorbei an der Deutschen Stiftung für internationale Entwicklung (Rauchstr. 22) und auffallender postmoderner Architektur sind die folgenden Punkte von Interesse: ② ehem. Jugoslawische Gesandtschaft (Rauchstr. 17), ③ ehem. Norwegische Gesandtschaft (Rauchstr. 11), ④ ehem. Dänische Gesandtschaft (Thomas-Dehler-Str. 48) und, um die Ecke, die ehem. Spanische Botschaft (Lichtensteinallee 1,

heute Spanisches Generalkonsulat). - Zurück zum Ausgangspunkt und weiter entlang der Tiergartenstraße werden die folgenden Punkte berührt: ⑤ ehem. Japanische Botschaft (Tiergartenstr. 24, heute Japanisch-Deutsches Zentrum), anschließend ⑥ die ehem. Italienische Botschaft (heute Italienisches
Generalkonsulat, Eingang Graf-Spee-Str.). In der Graf-Spee-
Straße die ehem. Griechische Botschaft ⑦ , in der Hildebrand-
straße 5 die ehem. Estnische Gesandtschaft ⑧ . - Auf dem Weg
in Richtung Kulturforum passieren wir die Stauffenbergstraße, in
der sich die Gedenkstätte Deutscher Widerstand befindet.

Eine Rundfahrt mit der S-Bahn

Die Rundfahrt dauert ohne Fahrtunterbrechung ca. 1 1/4 Stunden.
Sie vermittelt einen ersten Eindruck, wie unterschiedlich die
Berliner Stadtlandschaften sind.
Wir besteigen die S-Bahn am Zoologischen Garten Richtung Wannsee, fahren durch Charlottenburg
mit den Bahnhöfen Savignyplatz
und Charlottenburg, der auch von
der britischen Schutzmacht benutzt wird. Vom Bahnhof Westkreuz sind das **ICC** und das Messegelände rund um den **Funkturm** leicht zu Fuß zu erreichen.
Die Bahnlinie verläuft parallel zur
Avus, entlang der vornehmen, Ende des letzten Jahrhunderts gegründeten Villenkolonie Grunewald mit ihrem gleichnamigen S-
Bahnhof. Von hier aus wurden,
beginnend im Oktober 1941
Zehntausende Berliner Juden in
Viehwaggons verladen und nach
Osten in die Massenvernichtungs-
lager transportiert. Die Strecke
führt kilometerweit mitten durch
den Grunewald bis zur nächsten
Station Nikolassee. Von dort erreicht man Europas größtes Binnenstrandbad am **Wannsee**.
Von der Endstation Wannsee lohnt
sich der kurze Fußweg an den
Großen Wannsee, wo sich eine
Hauptanlegestelle der Berliner
Dampferflotten befindet. Ein Li-
nienschiff verbindet zum BVG-
Tarif (eure S-Bahn-Karte bleibt
gültig) den Spandauer Ortsteil
Kladow mit dem Berliner Süden;
von hier aus verkehren auch regelmäßig Personenschiffe nach
Spandau/Tegel, zur Pfaueninsel
bis zur Glienicker Brücke, nach
Kohlhasenbrück und Kreuzberg.
Zurück am Bahnhof Wannsee,
der auch Fernverkehrsbahnhof
ist, nehmen wir nun die Linie S1
Wannsee - Anhalter Bahnhof
(Wannseebahn). Durch Nikolassee und Schlachtensee, Ende
des letzten Jahrhunderts entstan-

dene Villenkolonien, geht's über Mexikoplatz nach Zehlendorf. Lichterfelde (West) ist gleichzeitig Bahnhof der Amerikanischen Armee in Berlin. Hier lohnt sich eine kurze Fahrtunterbrechung, um den originell bebauten Bahnhofsvorplatz zu besichtigen. Vom Bahnhof Steglitz aus seht ihr West-Berlins höchstes Gebäude, den Steglitzer Kreisel (das Bezirksamt Steglitz befindet sich hier zu großen Teilen). Entlang der Stadtautobahn führt die Strecke nach Schöneberg mit interessanten urbanen Rückansichten. Hinter Großgörschenstraße beginnt der große S-Bahn-Tunnel, der unter dem Landwehrkanal, dem gesamten Bezirk Mitte (Berlin[Ost]) und der Spree hindurchführt. Am Anhalter Bahnhof steigen wir um auf die Linie S2 Richtung Frohnau. Unter Ost-Berlin hindurch über die stillgelegten Bahnhöfe Potsdamer Platz und Unter den Linden erreichen wir den für die U- und S-Bahnlinien der West-Berliner BVG abgegrenzten Bereich des Bahnhofs Friedrichstraße in Berlin (Ost). Von hier aus fahren wir mit der Linie S3 Richtung Wannsee zurück zum Zoologischen Garten. Die Strecke führt zunächst durch ein tristes Ost-Berliner Wohn- und Gewerbegebiet; rechts sieht man die berühmte Charité im Ostteil der Stadt und links bereits den **Reichstag** in Berlin (West). Am Humboldthafen durchfahren wir die Grenzanlagen. Hinter dem Lehrter Stadtbahnhof geht der Blick auf die **Kongreßhalle** und die **Siegessäule**. Der letzte Teil der Rundtour führt durch das Hansaviertel über den Landwehrkanal mit der Versuchsanstalt für Wasser- und Schiffsbau, vorbei an den Gebäuden der Technischen Universität und der Hochschule der Künste, zurück zum Ausgangspunkt.

Das grüne Berlin: Natur erleben

Berlin ist "stark auf der grünen Lunge", fast überall ist Natur. Ein Drittel Berlins sind Flüsse, Seen, Wälder, Wiesen oder landwirtschaftlich genutzte Flächen. Ganz abgesehen von den baumgesäumten Straßen und den vielen innerstädtischen Schrebergärten, mehr als 60 **Parks** laden zur Erholung, zu Spaziergängen, aber auch Trimm-Aktivitäten ein.

"Perlen" der Berliner Stadtlandschaft - der Schloßpark Glienicke, die Pfaueninsel, den Park Charlottenburg - verdankt Berlin dem bedeutenden Gartenkünstler **Peter Joseph Lenné** (1789 - 1866), dessen 200. Geburtstag Berlin 1989 feiert. Zum Lenné-Jubiläum findet vom 17.6. bis zum 30.7. eine große Ausstellung im Schloß Charlottenburg statt. Auch der bekannte Tiergarten, bequem zu Fuß vom Zentrum aus zu erreichen, wurde von Lenné gestaltet.

Ein "grünes" Großereignis im Jahre 1985 war die Bundesgartenschau. Das Gelände und ein Teil der Einrichtungen im südlichen Ortsteil Britz stehen weiter als Erholungsgebiet zur Verfügung. Zwei "Parks" besonderer Art: der Botanische Garten im südlichen Bezirk Steglitz mit über 18 000 Pflanzenarten und der Zoologische Garten inmitten der Stadt. Ein Besuch dieser beiden international renommierten Gärten "bildet" ganz nebenbei auf angenehme Weise .

Die typischen **Wälder** Berlins sind Mischwälder, häufig jedoch trifft man auch reine Kiefern-, Buchen- oder Fichtenbestände. Dazwischen Wiesen, Felder und immer wieder Seen: märkische Landschaft!

Und immer wieder **Wasser und Seen.** Am ausgedehntesten das große Wassersportrevier der Havel und Havelseen. Eine Dampferfahrt auf Berlins Gewässern ist immer ein guter Tip. An vielen Stellen läßt es sich gut baden. Europas größtes Binnenstrandbad (Strandbad Wannsee) - der lange Strand enthält auch Sand aus Timmendorf - ist besonders hervorzuheben.

Das grüne Berlin, das sind schließlich auch die ländlichen **Dörfer** und Ecken, die Berlin noch immer bieten kann, mit allem, was dazugehört: alte Dorfkirche, idyllischer Dorfkern, ländliche Häuser ringsum, Dorfkrug und alte Baumbestände. Zum Beispiel Alt-Britz, Alt-Buckow, Alt-Marienfelde im Süden Berlins, Alt-Heiligensee oder das besonders schöne Lübars im Norden.

Ausflüge ins Grüne

In den Berliner Tageszeitungen, insbesondere in den Wochenendausgaben, aber auch in tip und zitty findet ihr regelmäßig Hinweise auf Spaziergänge, Ausflüge und Wanderungen, die von Naturschutzvereinen und Wandergruppen veranstaltet und geführt werden. Wandervorschläge durch das grüne Berlin - aber auch durch die Stadt - enthält die Broschüre "Berlin erwandern" des Berliner Wanderbundes e. V., Wasgenstr. 27, Tel. 802 50 08.

Wer auf eigene Faust Berliner Natur entdecken will, findet in allen Forsten gut markierte Wanderwege. Ein günstiger Ausgangspunkt für Wanderungen in den **Grunewald** ist der S-Bahnhof Grunewald. Interessante Ziele u. a.: der Teufelssee mit dem Ökowerk Teufelssee und die Lieper Bucht, der Grunewaldturm und Schildhorn an der Havel. Wanderungen in den ruhigeren **Spandauer Forst** mit einigen schönen Naturschutzgebieten beginnen am besten an der Endhaltestelle des Busses 54 (Johannisstift).

Teile des **Düppeler Forstes,** die **Pfaueninsel** und die **Havel** erschließt der folgende Ausflugsvorschlag: eine Dampferfahrt (Dauer: eine knappe Stunde) kombiniert mit einem Spaziergang (Länge ca. 9 km). Gesamtdauer des Ausflugs also mindestens 3 Stunden. Doch es lohnt!

Ausgangspunkt ist die Dampferanlegestelle Wannsee (S-Bahnhof Wannsee, Busse 3, 18); hier besteigen wir ein Schiff mit Fahrtziel Glienicker Brücke. Anlegestellen unterwegs: Kladow, Pfaueninsel, Moorlake. Auf dem letzten Stück zwischen Moorlake und Glienicker Brücke verläuft rechter Hand mitten durch die Havel die Grenze zur DDR; auch die Silhouette von Potsdam wird in der Ferne sichtbar. Der Rückweg von der Glienicker Brücke bis nach Heckeshorn führt uns ständig am Ufer entlang; der Rest des Weges dann über die Straße "Am Großen Wannsee" (viele schöne Villen), links über die Wannseebrücke zurück zur Anlegestelle Wannsee. Unterwegs Möglichkeiten zur Erfrischung: Moorlake, an der Anlegestelle Pfaueninsel (von hier aus auch Fährdienst zur Pfaueninsel) und Heckeshorn.

Mit dem Dampfer durch die Stadt

Früher war Berlin das größte Binnenwassersportgebiet Europas. Aber auch, was innerhalb der Mauer übriggeblieben ist, kann sich sehen lassen. Wer von Heiligensee im Norden bis zur Glienicker Brücke im Süden segeln will, braucht auch bei bestem Wind mindestens einen Tag. Und wer unterwegs auch mal anlegen, etwas besichtigen oder baden will, kann auch nach einer Woche noch neue, unentdeckte Ufer an-

steuern. Es dürfte überhaupt wenige Wasserreviere geben, die an ihren Ufern soviel Sehenswürdigkeiten und Einkehr- und Ausflugsmöglichkeiten bieten, wie die Berliner Gewässer. Ob auf eigenem Kiel oder mit einem der ca. 80 Fahrgastschiffe - stecht mal in See: Wannsee, Spree, Havel oder die innerstädtischen Kanäle und Hafenanlagen laden dazu ein. Unser Vorschlag "Mit dem Dampfer durch die Stadt" vermittelt ein völlig eigenständiges Berlinerlebnis und dauert einen vollen Tag.

Wir besteigen den Dampfer an der Wildenbruchbrücke morgens gegen 9 Uhr (genaue Zeit bei der Reederei Riedel [s.S. 22] erfragen) am Neuköllner Schiffahrtskanal bzw. ca. 20 Minuten später an der Kottbusser Brücke (U-Bhf. Kottbusser Tor) in Richtung Tegel, Greenwichpromenade. Dann geht die Fahrt durch Kreuzberg über den Landwehrkanal mit vielen Brücken durch die gesamte City bis zur Spree. Vorbei am Schloß Charlottenburg zum Hohenzollernkanal. An der Schleuse Plötzensee wird auf Havelniveau geschleust, und ab Spandau führt der Kurs havelaufwärts und in den Tegeler See. Die Endstation wird mittags erreicht. Dort gleich umsteigen in einen der Dampfer Richtung Wannsee. Mittagessen an Bord. Wieder durch Spandau, ab Spandauer Schleuse, direkt neben der Zitadelle, auf Spreeniveau weiter, vorbei an Werft- und Industrieanlagen in die seenartigen Ausbuchtungen der Havel. Kilometerlang zieht links der Grunewald vorbei, rechts liegen die Spandauer Ortsteile Gatow und Kladow. Wenn links der lange Sandstrand des Strandbades Wannsee auftaucht, durchqueren wir den gleichnamigen See und legen gegen 17 Uhr an der Endstation an. Wer noch mehr Berliner Seeluft schnuppern will, kann gleich anschließend in Richtung Glienicke oder Kohlhasenbrück umsteigen. Besser ist es aber, diese Touren als Abschluß des Ausfluges rechts oder als Hinweg zu einem Besuch der Pfaueninsel oder der ehemaligen Exklave Steinstücken einzuplanen.

In Berlin könnt ihr Theater, Oper, Kabarett und Konzerte genießen und erleben wie in anderen Städten Kino. Nicht lange planen, sondern Spielplan besorgen (vgl. die Spielplanübersichten an den Litfaßsäulen, das monatliche "Berlin-Programm" und die Stadtillustrierten "tip magazin" und "zitty" u. a.), Karten kaufen (direkt an der Theaterkasse oder bei den Vorverkaufsstellen: vgl. Stichwort "Theaterkassen" gleich im Anschluß) und in Gala oder ohne, wie es einem gefällt, hinein in die klassischen, modernen, alternativen oder experimentellen Musentempel. Berlin hat die interessanteste Theater- und Musikszene Deutschlands. Hier kommt jeder auf seine Kosten oder auf den Geschmack, und das über das ganze Jahr hinweg. Dafür sorgt allein schon die **Berliner Festspiele GmbH,** die u. a. die Veranstaltungsreihen "Internationale Filmfestspiele Berlin" (Februar/März), "Theatertreffen" (Mai), "Berliner Festwochen" (September/

Oktober) und "JazzFest Berlin" (November) durchführt. (Genauere Informationen im Infoladen der Berliner Festspiele, 30, Budapester Straße 48, Tel. 25 48 92 50, täglich 12-18 Uhr).

Tip: Sichert euch Karten, bei Spitzenveranstaltungen ratsam, indem ihr schon vor Beginn des Vorverkaufs eure Kartenwünsche vom Bundesgebiet aus beim entsprechenden Theater anmeldet. Vorher dort nach dem Programm erkundigen (Adressen und Tel.-Nr. auf den folgenden Seiten). Kartenbestellungen für Gruppen übernimmt auch Kulturelle Betreuung Otfried Laur, 12, Hardenbergstr. 6, Tel. 3 13 70 07 (Telex: 18 14 32 laur d).

Ein weiterer Tip: **Karten zum halben Preis** gibt es für Schüler und Studenten gegen Vorlage des Ausweises eine halbe Stunde vor Beginn der Vorstellung bei der Deutschen Oper und den Staatlichen Schauspielbühnen. Es müssen natürlich noch Karten an der Kasse vorhanden sein.

Schließlich: Nicht zu unterschätzen ist die **Kulturarbeit in den Bezirken.** Sei es, daß die bezirklichen Kunstämter inzwischen wichtige Kulturzentren ihrer Stadtteile geworden sind, sei es, daß freie Gruppen, alternative Projekte, Kinomacher immer stärker sich in ihrer künstlerischen Arbeit an den Bedürfnissen des betreffenden Stadtquartiers oder ihrer Zielgruppen orientieren. Vorteil auch: der Kontakt zu den Künstlern ist häufig wesentlich enger. In den Veranstaltungshinweisen der Programmzeitschriften wird diese vielfältige Szenerie natürlich nur zum Teil sichtbar.

Theaterkassen (Vorverkaufsstellen)

Theaterkassen, die fast zu allen Veranstaltungen Karten bereithalten, sind der bequemste Weg, zu Karten zu kommen. Dort muß man jedoch einen Aufschlag auf den regulären Eintrittspreis bezahlen.

Theaterkasse Centrum, 15, Meinekestr. 25 (Nähe Kurfürstendamm), Tel. 8 82 76 11.

Wildbad-Kiosk, 30, Rankestraße 1 (an der Gedächtniskirche), Tel. 8 81 45 07.

KaDeWe, 15, Tauentzienstraße 21 (Wittenbergplatz), Tel. 24 80 36.

Theaterkasse Sasse, 15, Kurfürstendamm 24 (Nähe Joachimstaler Straße), Tel. 8 82 73 60.

Wertheim, 15, Kurfürstendamm 231 (zwischen Joachimstaler und Rankestraße) Tel. 8 82 25 00.

Staats- und Privattheater

Deutsche Oper Berlin
10, Bismarckstr. 34-37, Tel. 3 41 44 49, Vorverk. Mo-Fr 14-20 Uhr, Sa, So 10-14 Uhr und jeweils 1 Stunde vor Vorstellungsbeginn, U-Bhf. Deutsche Oper. Oper und Ballett.

Schiller-Theater
12, Bismarckstr. 110, Tel. 3 19 52 36, Vorverk. 10 Uhr bis Vorstellungsbeginn, U-Bhf. Ernst-Reuter-Platz. Klass. und mod. Schauspiel.

Schiller-Theater-Werkstatt
12, Bismarckstr. 110, Tel. 3 19 52 36, Vorverk. 10 Uhr bis Vorstellungsbeginn, U-Bhf. Ernst-Reuter-Platz. Experimentierbühne.

Schloßpark-Theater
41, Schloßstr. 48, Tel. 7 91 12 13, Vorverk. 10 Uhr bis Vorstellungsbeginn, U-Bhf. Rathaus Steglitz. Klass. u. mod. Schauspielhaus.

Theater des Westens
12, Kantstr. 12, Tel. 3 12 10 22, Vorverk. Mo-Sa 10-19 Uhr, So 15-19 Uhr, U-Bhf. Zoologischer Garten. Operette und Musical.

Freie Volksbühne
15, Schaperstraße 24, Tel. 8 81 37 42, Vorverk. täglich 10-14 Uhr und ab 18.30 Uhr, U-Bhf. Spichernstraße. Klass. und mod. Schauspiel.

Hansa-Theater
21, Alt-Moabit 48, Tel. 3 91 44 60, Vorverk. Mo-Sa 10-19 Uhr, sonn- und feiertags 15-18 Uhr, U-Bhf. Turmstraße. Volksstücke.

Hebbel-Theater
61, Stresemannstr. 29 (Nähe U-Bhf. Hallesches Tor), Tel. 251 04 06. Schönes Theater aus dem Jahre 1908. Wird für vielfältige künstlerische Aktivitäten genutzt.

Kleines Theater
41, Südwestkorso 64, Tel. 8 21 30 30, Vorverk. Di-Fr telef. ab 11 Uhr, Abendk. ab 18 Uhr, U-Bhf. Friedrich-Wilhelm-Platz. Schauspiel und Gastspiele.

Komödie
15, Kurfürstendamm 206, Tel. 8 82 78 93, Vorverk. Mo-Sa 10-19 Uhr, So 15-19 Uhr, U-Bhf. Uhlandstraße. Komödien.

Renaissance-Theater
12, Hardenbergstr. 6, Tel. 3 12 42 02, Vorverk. Mo-Sa 10.30-18.30 Uhr, So 15.30-18.30 Uhr, U-Bhf. Ernst-Reuter-Platz. Schauspiel und Komödie.

Schaubühne am Lehniner Platz
31, Kurfürstendamm 153, Tel. 89 00 23, Vorverk. Mo-Sa 10-19 Uhr, So 10-14 und ab 17 Uhr, U-Bhf. Adenauerplatz.

Theater am Kurfürstendamm
15, Kurfürstendamm 206, Tel. 8 82 37 89, Vorverk. Mo-Sa 10-19 Uhr, So 15-19 Uhr, U-Bhf. Uhlandstraße. Schauspiel und Komödie.

Tribüne
10, Otto-Suhr-Allee 18-20, Tel. 3 41 26 00, Vorverk. Mo 14-18, Di-So 14-19 Uhr, U-Bhf. Ernst-Reuter-Platz. Schauspiel und Komödie.

Vaganten-Bühne
12, Kantstraße 12a, Tel. 3 12 45 29, Vorverk. Mo-Fr ab 10 Uhr, Sa und So ab 17 Uhr, U-Bhf. Zoologischer Garten. Schauspiel.

"die bühne" literarisches Figurentheater
30, Kleiststr. 13/14, Tel. 8 91 20 69, U-Bhf. Wittenbergplatz. Interessant für alle Altersgruppen. Aufführungen jeweils samstags.

Freie Theatergruppen

Im folgenden nennen wir euch einige "freie" Theatergruppen bzw. Projekte, die im allgemeinen politisch engagiertes und experimentelles Theater bieten. Ein Aspekt der Freiheit dieser Gruppen: häufig wenig Geld für eine kontinuierliche Theaterarbeit, meist keine eigenen Spielstätten. Vieles muß deshalb Phantasie und Kreativität wettmachen. Das macht dann auch den besonderen Reiz der künstlerischen Arbeit dieser Gruppen aus. Ganz abgesehen davon, daß den etablierten Theatern hieraus ein wenig Konkurrenz erwächst, was ja auch ganz schön ist. In einigen Fällen versuchen die Gruppen auch, sich durch das Angebot von Workshops und Kursen in Tanz, Schauspiel, Pantomime usw. eine finanzielle Basis zu schaffen. Interessant auch die Entwicklung von "Kulturfabriken" mit vielfältigen Aktivitäten: Tanz, Zirkus, Musik, Theater. Frühere Fabrikgebäude und -etagen - und Berlin hat noch viele - werden so neu genutzt.
"tip" und "zitty" informieren am besten über die aktuelle Arbeit der verschiedenen Gruppen:

Atelier Internationale Kunst
12, Dahlmannstr. 11 (U-Bhf. Adenauerplatz), Tel. 324 40 98. Häufig interessante Gastspiele, auch Kindertheater.

Die Etage
61, Hasenheide 54 (U-Bhf. Südstern), Tel. 6 91 20 95.
Theater, Tanz, Pantomime.

Freie Theateranstalt Berlin
19, Klausenerplatz 19, Tel. 3 21 58 89.
Politisches Theater und Musical.

Junges Theater
61, Friesenstr. 14 (Eingang Schwiebusser Str.), Tel. 6 92 87 35.
Vorwiegend Aufführungen bekannter moderner Autoren.

Neuköllner Oper
44, Karl-Marx-Str. 131 (U-Bhf. Karl-Marx-Straße), Tel. 687 60 61.
Selten gespielte Opern bzw. eigene Bearbeitungen.

Ratibor Theater
36, Cuvrystr. 20 (Kiezpalast), Tel. 6 18 61 99. Theater unter Verwendung verschiedener Stilelemente (Musik, Maske usw.).

Tanzfabrik
61, Möckernstr. 68, Tel. 7 86 58 61.
Moderner Tanz, experimentell; auch Tanzschule.

TAK im Souterrain
61, Möckernstr. 66, Tel. 7 85 11 65, 3 35 64 69.
Sozial- und gesellschaftskritische Stücke mit Diskussion im Anschluß.

Theater zum westlichen Stadthirschen
61, Kreuzbergstr. 37, Tel. 7 85 70 33.
Modernes Schauspiel.

Theatermanufaktur
61, Hallesches Ufer 32, Tel. 2 51 09 41.
Gesellschaftskritische Stücke mit Lehr-
stückcharakter.

Transformtheater
61, Hasenheide 54, 2. Hinterhof parter-
re, Tel. 6 92 32 39.
Verschiedenes Experimentelles.

UFA-Fabrik
42, Viktoriastr. 13 (U-Bhf. Ullsteinstr.),
Tel. 7 52 80 85.
"Kulturfabrik" mit verschiedenen Aktivi-
täten, u.a. auch Theater, Musik, Film.
Besonders bekannt inzwischen der
UFA-Zirkus.

Zan Pollo Theater
41, Rheinstr. 45, Tel. 8 52 20 02 (wechselnde Spielorte). Gesellschaftskritische Stücke in der Tradition des Volks-
theaters, auch Straßentheater.

Zentrifuge
36, Mariannenplatz 2 (im Künstlerhaus
Bethanien), Tel. 6 21 55 99.
Gesellschaftskritische Stücke.

Theater für Kinder und Jugendliche

Auch hier häufig unregelmäßige
Vorstellungszeiten und -orte, deshalb vorher immer informieren!

Berliner Kammerspiele
21, Alt-Moabit 99 (U-Bhf. Turmstr.),
Tel. 391 55 43.
Populäre Kinderstücke.

Berliner Mäusetheater
44, Sanderstr. 26, Tel. 692 83 40.
Puppenspiele.

Grips
21, Altonaer Straße 22, Tel. 391 40 04,
U-Bhf. Hansaplatz.
Immer empfehlenswert, auch deshalb,
weil man sich hier hervorragend auf die
verschiedenen Altersgruppen einstellt;
politisch-aufklärerisch.

Fliegendes Theater
61, Gneisenaustr. 2 (im Mehringhof),
Tel. 693 37 91. Figurentheater.

Hans Wurst Nachfahren
61, Gneisenaustr. 2 (im Mehringhof),
Tel. 693 37 91.
Puppentheater für Kinder.

Klecks Puppentheater
44, Schinkestraße 8/9, Tel. 693 77 31.
Kindertheater mit Puppen.

Berliner Figurentheater
61, Yorckstr. 58, Tel. 786 98 15.
Auch Stücke für Erwachsene.

Puppentheater Berlin
62, Vorbergstr. 10, Tel. 342 19 50 und
784 77 79, U-Bhf. Eisenacher Straße.
Auch Stücke für Erwachsene.

Rote Grütze
61, Mehringdamm 51, Tel. 692 66 18
(wechselnde Spielorte).
Politisch-aufklärerisches Theater für
Kinder und Jugendliche.

Auch in den größeren Staats- und
Privattheatern, z. B. in der Tribü-
ne, der Schaubühne, dem Renaissance-Theater, findet, wenn
auch unregelmäßig, Theater für
Kinder und Jugendliche statt.

Kabarett

Stachelschweine
30, Europa-Center, Tel. 261 47 95.
Die Stachelschweine sind so stachlig
nicht mehr!

Wühlmäuse
30, Nürnberger Straße 33,
Tel. 213 70 47, Kartenvorverkauf 10-13
Uhr, 16-20 Uhr, U-Bhf. Augsburger
Straße. Haus von Dieter Hallervorden,
Gastspiele.

Klimperkasten
12, Otto-Suhr-Allee 100 (im Bürgersaal
des Rathauses Charlottenburg),
Tel. 3 13 70 08. Politisches Kabarett,
auch Alt-Berlinisches und Chansons.

Zirkus, Volksfeste

Das **Tempodrom** (im Tiergarten, zwischen Kongreßhalle und
Reichstag, Tel. 394 40 45) ist der
von alternativer Seite gestartete
Versuch, Zirkusatmosphäre an einem festen Ort in Berlin wieder zu
etablieren. Nicht nur traditioneller
Zirkus, sondern auch Theater,
Show, Musik und Revue bestimmten bislang das Programm. Sehr
erfolgreich und die herkömmli-
chen Zirkuspfade erweiternd: der
UFA-Zirkus der UFA-Fabrik
(42, Viktoriastr. 13, Nähe U-Bhf.
Ullsteinstraße, Tel. 752 80 85);
auch spezielle Kindervorstellun-
gen.
Daneben gibt es einige kleine Zir-
kusgruppen (Zirkus Rogall, Zirkus
Renz), die in den Sommermonaten regelmäßig durch die Bezirke
ziehen. Auskünfte: 15, Zirkusdi-
rektorenverband, Xantener Str. 9,
Tel. 881 46 60.

Berliner lieben **Volksfeste.** Wir
nennen euch an dieser Stelle díe
großen und bekannten. Viele Bezirke haben darüber hinaus ihre
eigenen originellen Volks- und
Straßenfeste.
- Deutsch-Französisches Volks-
fest am Kurt-Schumacher-Damm
(im Juni/Juli), Busse 8, 21, 62.
- Deutsch-Amerikanisches Volks-
fest am Hüttenweg (im Juli/Au-
gust), U-Bahn Oskar-Helene-
Heim, Busse 10, 11, 18 , 60.
- Berliner Oktoberfest an der Jaf-
féstraße (im Sept./Okt.), S-Bahn
Westkreuz, Busse 4, 69.
- Weihnachtsmarkt zwischen Gedächtniskirche und Wittenbergplatz (im Dezember).

Konzerte: Klassik, Jazz, Rock und Pop

Über Konzerte mit **klassischer Musik** kann man sich - neben "tip", "zitty", "Berlin-Programm" und die Telefonansage 11 56 - am besten im "Führer durch die Konzertsäle Berlins" informieren, erhältlich u. a. bei den Theaterkassen (Vorverkaufsstellen). Die beiden großen Orchester Berlin:

-Berliner Philharmonisches Orchester

Spielstätte: Philharmonie, 30, Kemperplatz, Matthäikirchstr. 1, Tel. 2 61 43 83 (Konzertkasse; Mo-Fr 15.30-18, Sa, So 11-14 Uhr).

-Radio-Symphonie-Orchester Berlin

Spielstätte: Großer Sendesaal des Senders Freies Berlin, 19, Masurenallee 8-14 (manchmal auch in der Philharmonie), Tel. 3 02 72 42 (Kartenbüro).

Daneben gibt es weitere Orchester, z. B. das Symphonische Orchester Berlin und verschiedene kleine Orchesterformationen. Diese spielen in den verschiedenen Konzertsälen Berlins, wo es meist auch die Karten gibt - oder man geht zu den bekannten Vorverkaufsstellen.

Besonders schön in den Sommermonaten: die Serenadenkonzerte z. B. im Jagdschloß Grunewald oder im Schloß Charlottenburg (Eichengalerie!). Hinweise auf Kirchenmusik (Orgelvespern, Bläserkonzerte usw.) sind, über die schon genannten Informationsquellen hinaus, häufig auch aus der Tagespresse zu entnehmen bzw. können telefonisch erfragt werden (31 90 01 80/81, Mo-Fr 8-16 Uhr).

Um Karten für Konzerte der beiden Berliner Spitzenorchester muß man sich jedoch häufig schon sehr frühzeitig kümmern (Tip: Kartenbestellung vom Bundesgebiet aus!). Dasselbe gilt vielfach auch für die Gastspiele der Stars und Starorchester aus aller Welt.

Für Freunde des **Jazz** ist natürlich das im Herbst stattfindende "Jazz Fest Berlin" der Höhepunkt. Besonders beliebt auch die Veranstaltungsreihe "Jazz in the Garden" in den Sommermonaten. Im Kapitel **"Musikkneipen"** findet ihr weitere Hinweise auf Lokalitäten, wo Jazz live erlebt werden kann. Dort werdet ihr auch feststellen, daß die Grenzen zum **Rock** fließend geworden sind. Tatsache ist vielfach auch, daß die entscheidenden Impulse im Augenblick von der Rockmusik ausgehen. In ihr wird authentisch, direkt und unverblümt gegenwärtiges Lebensgefühl formuliert; und eine Stadt wie Berlin ist nicht von ungefähr ein fruchtbarer Nährboden. Auch nicht überraschend, daß es hier den ersten Rockbeauftragten (beim Senator für Kulturelle Angelegenheiten, Tel.

21 23-32 78) gibt, der die Rockgruppen bei ihrer Suche nach Spiel- und Produktionsmöglichkeiten unterstützt. Die lebhafte Berliner Rockszene zwischen Punk, New Wave, Electronic-Rock und wie die Trends alle heißen mögen, drängte förmlich danach. In "Rock-City Berlin 88/89" (496 Seiten, DM 19,80) wird die Musikszene Berlins (Bands, Fachgeschäfte, Tonstudios usw.) ausführlich dargestellt (erhältlich im Buchhandel).

Literatur in Berlin

Manche Schriftsteller ziehen aufs Land - sie brauchen ihre Ruhe; manche wiederum in die Großstadt - sie brauchen die Stadt und die Menschen als Umfeld für ihre Arbeit. Berlin kann beides sein: Ruhe und Hektik, Idylle und Nervosität; vielleicht haben sich auch deshalb viele Autoren hier niedergelassen. Insbesondere das **Literarische Colloquium Berlin** (39, Am Sandwerder 5, Tel. 8 03 56 81, 8 03 20 82) und das **Berliner Künstlerprogramm des Deutschen Akademischen Austauschdienstes** (12, Steinplatz 2, Tel. 310 00 30; Lesungen in der DAAD-Galerie, 30, Kurfürstenstraße 58, Tel. 2 61 36 40) haben es immer wieder erfolgreich verstanden, wichtige Schriftsteller nach Berlin zu holen. Ein Zentrum der Literatur ist auch das **Literaturhaus Berlin** mit schönen Räumen für Lesungen, Ausstellungen, einem Café usw. (15, Fasanenstr. 23, Nähe Ku'damm, Tel. 8 82 65 52). Und das Erfreuliche: Viele von ihnen - und natürlich nicht nur sie - kann man bei Lesungen und Diskussionen treffen. In der Akademie der Künste, im Künstlerhaus Bethanien, in den Stadtbüchereien der Bezirke, aber auch in kleinerem, dafür aber intensiverem Rahmen, nämlich bei Lesungen in Buchhandlungen oder im Buchhändlerkeller:

Elwert & Meurer,
62, Hauptstraße 101 (Nähe Innsbrucker Platz), Tel. 78 40 01.

Autorenbuchhandlung Berlin,
12, Carmerstraße 10 (am Savignyplatz), Tel. 31 01 51.

Wolff's Bücherei,
41, Bundesallee 133 (Nähe Friedrich-Wilhelm-Platz), Tel. 8 51 42 64.

Buchhändlerkeller,
12, Carmerstraße 1 (am Savignyplatz), Auskunft über Autorenbuchhandlung, Tel. 31 01 51.

K I N O

Täglich weit über 100 verschiedene Filme in ca. 70 Kinos lassen Besucher vor Neid erblassen. Aber nicht die vielen Kino-Tempel rund um die Gedächtniskirche sind das Besondere. Da laufen die üblichen internationalen und deutschen Produktionen. Richtig interessant wird's erst in den über 20 Off-Kinos: Hier könnt ihr wie sonst nirgendwo die Klassiker der Filmgeschichte ebenso wie die zahlreichen neuen Produktionen der deutschen und internationalen Filmemacher sehen. In Berlin könnt ihr erleben, wie gut und lebendig Kino ist, wenn es nicht nur aus kommerziellen Gründen betrieben wird. Höhepunkt in jedem Jahr sind die Internationalen Filmfestspiele und das Internationale Forum des jungen Films (im Februar). Zusätzlich interessant dürfte das Filmhaus Esplanade Berlin (Bellevuestraße am Potsdamer Platz) werden, das die verschiedensten Filminstitutionen aufnehmen wird (Baubeginn 1988/89). 1988 wurde zum ersten Mal der europäische Filmpreis in Berlin vergeben - in gewisser Hinsicht ein Gegenstück zur amerikanischen Oscar-Preisverleihung.

Ku'damm-Kinos

Wie der Name schon andeutet: Kinos am Ku'damm oder nicht weit davon entfernt. Hier werden die großen kommerziellen Filme gezeigt, aber auch schon, besonders in den kleineren Theatern der Kinozentren, manche anspruchsvollen Filme. Programmhinweise mittwochs bzw. donnerstags in den Tageszeitungen und an den Litfaßsäulen.

Während der Berliner Filmfestspiele werden hier die neuesten Streifen aus aller Welt samt Stars und Sternchen vorgestellt.

Bezirkskinos

Die Anzahl der Bezirks- bzw. Stadtteilkinos ist stark zurückgegangen. Sie kämpfen ums Über

leben. Programmhinweise finden sich vor allem in den Tageszeitungen (mittwochs bzw. donnerstags).

Off-Kinos

Die Stadtillustrierten berichten ausführlich über die Programme der Off-Kinos. Zum Teil bringen diese auch selbst (kostenlose) Programmzeitschriften heraus. Einigen dieser Kinos - manche noch im Stil der 50er Jahre - sind Cafés oder Kneipen angeschlossen. Immer sehr gute, kommunikative Treffpunkte.

Arsenal

30, Welserstr. 25 (Ecke Fuggerstr.), Tel. 24 68 48. Das Filmtheater der Freunde der Deutschen Kinemathek

mit umfangreichen Retrospektiven und Filmreihen.
Im Arsenal 2 nebenan Avantgardefilme.

Babylon
36, Dresdener Str. 126 (U-Bhf. Kottbusser Tor), Tel. 614 63 16,

Bali
37 (Zehlendorf), Teltower Damm 33 (am S-Bahnhof Zehlendorf),
Tel. 8 11 46 78. Stadtteilkino mit engagiertem Programm, auch spezielle Kinder- und Jugendprogramme.

Berliner Kinomuseum
61, Großbeerenstr. 57 (Nähe Yorckstr.). Originelles Mini-Kino mit alten Vorführgeräten.

Broadway
30, Tauentzienstr. 8 (Minicity, neben dem Europa-Center), Tel. 261 50 74.

Bundesplatz
31, Bundesplatz 14, Tel. 8 53 33 55.

Capitol
33, Thielallee 36 (U-Bhf. Thielplatz), Tel. 832 85 27

Cosima
41, Sieglindestraße 10 (Nähe Bundesplatz), Tel. 8 53 33 55.

Filmkunst 66
12, Bleibtreustraße 12 (Ecke Niebuhrstr.),Tel. 8 81 55 10.

Graffiti
15, Pariser Str. 44 (am Ludwigkirchplatz), Tel. 8 83 43 35.

Kant-Kino
12, Kantstr. 54 (Nähe Wilmersdorfer Str.), Tel. 3 12 50 47.

Klick
12, Windscheidstraße 19 (Nähe Kantstr.), Tel. 3 23 84 37.

Kurbel
12, Giesebrechtstraße 4,
Tel. 8 83 53 25.

Lupe 1
15, Ku'damm 202, Passage (Knesebeckstr.), Tel. 8 83 61 06.

Lupe 2
15, Olivaer Platz 15, Tel. 8 82 37 77.

Notausgang
62, Vorbergstraße 1 (an der Hauptstr.), Tel. 7 81 26 82.

Odeon
62, Hauptstraße 116 (Nähe Dominicusstr.), Tel. 781 56 67. Filme häufig im englischen Original.

Schlüter
12, Schlüterstr. 17 (Nähe Kantstr.), Tel. 3 13 85 80.

Steinplatz
12, Hardenbergstraße 12 (am Steinplatz), Tel. 3 12 90 12. Auch Kabarett- und Kleinkunstveranstaltungen.

Studio
31, Ku'damm 71 (Nähe Adenauerplatz), Tel. 3 24 50 03.

Thalia-Kino-Center
46, Kaiser-Wilhelm-Str. 71 (an der Lankwitzer Kirche), Tel. 7 74 34 40. Besonders interessant: das englischsprachige Programm vom Thalia 2.

Yorck und New Yorck
61, Yorckstr. 86 (Nähe Mehringdamm), Tel. 7 86 50 70.

EINE STADT
DER MUSEEN
SCHLÖSSER U. SAMMLUNGEN

Und zwar die mit Abstand bedeutendste Deutschlands. Alles mindestens einmal zu besuchen, ist eine Aufgabe fürs Leben. Sucht euch also raus, was euch am meisten interessiert. Empfehlenswert ist eigentlich alles. Und gerade in Berlin wird eindrucksvoll bewiesen, daß Museen lebendig, interessant und unterhaltsam wie ein Krimi sein können. Und **"abends ins Museum"** bis 22 Uhr heißt es neuerdings im Berlin Museum, Martin-Gropius-Bau, Schloß Charlottenburg und Do und Fr bis 21 Uhr im Museum für Verkehr und Technik. Ganz nebenbei: Museum bildet ungemein! Und schließlich: In vielen Museen findet man nette Cafeterias und im Berlin Museum sogar eine gemütliche Kneipe mit Berliner Spezialitäten (oft überfüllt!).

In Berlin (West) gibt es drei wichtige Museumszentren:
- Schloß Charlottenburg und Umgebung,
- die Museen in Dahlem,
- Kulturzentrum Tiergarten.

Schloß Charlottenburg

Ehemalige Sommerresidenz der preußischen Könige vor den Toren Berlins. Ursprüngliche Anlage (Mittelbau ohne Seitenflügel und Kuppel) 1695-99 für Sophie Charlotte, Gemahlin des späteren Königs Friedrich I. errichtet, später vielfältige Erweiterungsbauten. Innenräume oft umgestaltet, Ausstattung aus nahezu zwei Jahrhunderten vom Barock bis zum Biedermeier. 1943 bei einem Luftangriff ausgebrannt; sorgfältig restauriert. Auf dem Schloßhof befindet sich seit 1952 das **Reiterdenkmal des Großen Kurfürsten**, wohl das bedeutendste barocke Standbild seiner Art.

1700 nach einem Entwurf von Andreas Schlüter in einem Stück gegossen, früher auf der Langen Brücke (Kurfürstenbrücke) am Berliner Schloß.
Museen, die unmittelbar zum Schloß gehören, (19, Spandauer Damm, Tel. 32 09 11, Di-So 9-22 Uhr, Eintritt, U-Bhf. Richard-Wagner-Platz, Busse 9, 21, 54, 62, 74, 87):
1. **Historische Räume**
(Mittelbau, nur mit Führung, Gruppen anmelden!) Reich ausgestattete Wohnräume der Sophie Charlotte und Friedrichs I. Eichengalerie (Kammerkonzerte). Chinesisches Porzellankabinett. Im Obergeschoß (ohne Führung) Bilder, Wandteppiche und Gegenstände aus der Zeit des Großen Kurfürsten und Friedrichs I.; Preußische Kroninsignien; Berliner Stadtansicht des Biedermeier.
2. **Neuer Flügel**
(Ostflügel) Wohnräume Friedrichs

II. (des Großen), Friedrich Wilhelms II., Friedrich Wilhelms III. und der Königin Luise (Schlafzimmer). Treppenhaus und Weißer Saal (interessanter Versuch, die verbrannten Deckengemälde der Rokokozeit durch moderne ungegenständliche Variationen zu ersetzen); Goldene Galerie (42 m langer Saal in grüngoldener Ornamentik, einer der schönsten Räume des deutschen Rokoko); französische Gemälde des 18. Jahrhunderts (Watteau, Lancret, Pesne).

3. **Schinkel-Pavillon**
(Einzelbau zwischen Schloß und Schloßbrücke) Sommerhaus Friedrich Wilhelms III., das 1824/25 nach Plänen von K. F. Schinkel erbaut wurde. In den verschiedenen Räumen: Skulpturen, Kunstgewerbe, Malerei des frühen 19. Jahrhunderts.

4. **Mausoleum**
(im Park) 1810 von Friedrich Wilhelm III. als Ruhestätte für Königin Luise erbaut. Marmorbilder Friedrich Wilhelms III. und der Königin Luise von C.D. Rauch. 1894 wurden hier die Sarkophage Kaiser Wilhelms I. und seiner Gemahlin Augusta aufgestellt (in den Wintermonaten geschlossen).

5. **Belvedere**
(am Ende des Parks) 1788 nach Entwürfen von Langhans als Teehaus für Friedrich Wilhelm II. erbaut. Es enthält heute eine historische Porzellan-Sammlung aus Berliner Manufakturen.

Außerhalb des eigentlichen Schloßmuseums:

Staatl. Museen Preußischer Kulturbesitz
(Eintritt frei, Tel. 32 09 11)

1. **Museum für Vor- und Frühgeschichte**
(Langhansbau; täglich 9-17 Uhr, außer freitags). Archäologische Funde von der Alt-Steinzeit bis zum frühen Mittelalter speziell des Berliner Raumes.

2. **Galerie der Romantik**
(Knobelsdorff-Flügel; täglich 9-17 Uhr, außer montags). Werke der bildenden Kunst aus der Zeit der Romantik werden hier gezeigt. (C. D. Friedrich, K. F. Schinkel, K. Blechen u. a.)

3. **Ägyptisches Museum**
(Östlicher Stülerbau, gegenüber dem Schloß; täglich 9-17 Uhr, außer freitags). Sammlung zur ägyptischen Kulturgeschichte, z. B. Funde aus Tell-el-Amarna (Büste der Nofretete).

4. **Antikenmuseum und Schatzkammer**
(Westlicher Stülerbau, gegenüber dem Schloß; täglich 9-17 Uhr, freitags geschlossen). Griechische und römische Kunst, antiker Goldschmuck.

5. **Gipsformerei**
der Staatlichen Museen (Sophie-Charlotten-Str. 17/18, Tel. 3 21 70 11, Mo-Fr 9-16 Uhr, Mi bis 18 Uhr). Musterschau und Verkauf von Kopien berühmter Plastiken.

Dahlemer Museen

Die Gemäldegalerie mit Skulpturenabteilung und Kupferstichkabinett, das Völkerkundemuseum sowie die Museen außereuropäischer Kunst befinden sich in einem Gebäudekomplex zwischen Arnimallee und der Lansstraße (Eintritt frei, Tel. 83 01-1; Nähe U-Bhf. Dahlem-Dorf, Busse 1, 10, 17). Es ist jedoch wegen der außerordentlichen Fülle der Ausstellungsstücke nicht zu empfehlen, alle Abteilungen an einem Tag zu besuchen.

Die Staatlichen Museen, auch die im Schloß Charlottenburg untergebrachten Institute, haben zusätzlich zu ihren Katalogen ein interessantes Informationssystem entwickelt. In Ständern neben den entsprechenden Vitrinen und Schaustücken stecken bebilderte Informationsblätter, die man sammeln und am Informationsstand des jeweiligen Museums durch eine Sammelmappe, Großfotos und Diaserien ergänzen kann.

Gemäldegalerie

(Arnimallee 23, täglich 9-17 Uhr, außer montags). Hervorgegangen aus den königlichen Sammlungen, ist die Gemäldegalerie zu einer der ersten Kollektionen der Welt geworden. Trotz der schweren Kriegsverluste und der Verteilung der Bestände auf beide Teile der Stadt bietet sie einen geschlossenen Überblick über die europäische Malerei vom 13.-18. Jahrhundert mit vielen weltberühmten Einzelstücken.

Kupferstichkabinett

(Studiensaal, geöffnet Di-Fr 9-16 Uhr). Wichtige Sammlung von Handzeichnungen, Druckgraphik, Graphik und illustrierten Büchern des 15. bis 20. Jahrhunderts. Hervorzuheben die Handzeichnungen Dürers und Rembrandts, die graphischen Arbeiten dieser beiden Künstler sowie Holbeins und Cranachs. Die Blätter werden dem Besucher auf Wunsch vorgelegt.

Skulpturengalerie

(geöffnet täglich 9-17 Uhr, außer montags). Sammlung europäischer Plastik von der christlichen Spätantike bis zum Ende des 18. Jahrhunderts, auch heute noch die bedeutendste Skulpturensammlung Deutschlands. Besonders gut vertreten die italienische Renaissanceplastik und die Plastik der deutschen Gotik.

Museum für Völkerkunde

(Dahlem, Lansstraße 8, täglich 9-17 Uhr, außer montags). Eine der größten Sammlungen völkerkundlicher Gegenstände überhaupt. Fünf Abteilungen: Alt-Amerika, Afrika, Südsee, Südasien, Ostasien. Die Präsentation der Bestände ist vorbildlich. Besondere Attraktion die Boote- und Südsee-Abteilung. Angeschlossen ein Junior- und Blindenmuseum.

Museum für Ostasiatische Kunst

(Dahlem, Lansstraße 8, täglich 9-17 Uhr, außer montags). Sammlung der Kunst Chinas, Koreas und Japans vom 3. Jahrtausend v. Chr. bis heute (Malerei, Holzschnitte, Bronzen, Skulpturen,Keramiken, Metall- und Lackarbeiten, chinesischer Kaiserthron).

Museum für Islamische Kunst

(Dahlem, Lansstraße 8, täglich 9-17 Uhr, außer montags). Teppiche, persische Gebetsnische mit Schriftfriesen, Beispiele arabischer Schrift (Grabsteine, höfische und religiöse Textilien, türkischer Prachtkoran), Kuppel aus der Alhambra in Granada, persisches Deckengemälde.

Museum für Indische Kunst

(Dahlem, Lansstraße 8, täglich 9-17 Uhr, außer montags). Es enthält die bedeutendste Sammlung indischer Kunst in Deutschland. Besonders hervorzuheben die Turfan-Sammlung mit ihren berühmten Freskenmalereien aus dem 6.-10. Jahrhundert (Schilderung buddhistischer Legenden).

Museum für Deutsche Volkskunde
(Dahlem, Im Winkel 6, nahe U-Bhf. Dahlem-Dorf, Tel. 83 20 31, täglich 9-17 Uhr, außer montags). Rund 2000 Ausstellungsstücke aus dem Leben des deutschsprachigen Mitteleuropa.

Kulturzentrum
Tiergarten

Am Rande des Tiergartens entsteht gegenwärtig eine Reihe von Bauwerken, die, parallel zum historischen Schloß Charlottenburg, einen neuen Kulturmittelpunkt bilden werden. Außer den bislang fertigen Bauten entstehen hier die endgültigen Museumsgebäude der Stiftung Preußischer Kulturbesitz (Gemäldegalerie, Kupferstichkabinett, Skulpturenabteilung und Kunstbibliothek). Verkehrsverbindung: U-Bhf. Kurfürstenstr., Busse 24, 29, 48, 83.

Nationalgalerie
(Tiergarten, Potsdamer Str. 50, Tel. 266-6, täglich 9-17 Uhr, Mo geschlossen). 1965-68 von Mies van der Rohe erbaut. Der obere gläserne Teil dient wechselnden Ausstellungen, im unteren Teil befindet sich eine bedeutende Sammlung von Bildern des 19. und 20. Jahrhunderts.

Musikinstrumenten-Museum
des Staatlichen Instituts für Musikforschung Preußischer Kulturbesitz (Tiergarten, Tiergartenstr. 1, Tel. 25 48 10, Di-Sa 9-17 Uhr, So 10-17 Uhr, Sonderführungen Sa 11 Uhr). Musik und Musikinstrumente des 16. bis 20. Jahrhunderts, auch Konzerte und Vorträge.

Kunstgewerbemuseum

(Tiergarten, Tiergartenstr. 6, Tel. 2 66 29 11, Di-So 9-17 Uhr). Europäisches Kunsthandwerk, u. a. der sogenannte "Welfenschatz", das Lüneburger Ratssilber.

Staatsbibliothek

(Tiergarten, Potsdamer Straße 33, Tel. 266-1, Mo-Fr 9-21 Uhr, Sa 9-17 Uhr, gebührenfreie Benutzung). Wissenschaftliche Bibliothek mit Literatur aus allen Wissensgebieten und Sondersammlungen von internationalem Rang. Bestand: 3,6 Millionen Bände, ca. 30 000 laufend gehaltene Zeitschriften; Handschriften, Autographen, Nachlässe, Musikalien, Karten.

Bauhaus Archiv/Museum für Gestaltung

(Tiergarten, Klingelhöferstraße 13-14, Tel. 2 61 16 18, tägl. außer Di 11-17 Uhr, Eintritt). In dem Gropius-Bau sind Sammlungen zur Geschichte des Bauhauses (1919-1933) in Weimar und Dessau untergebracht. Wechselnde Ausstellungen, Fachbibliothek.

Schlösser

Jagdschloß Grunewald

(Tel. 8 13 35 97, Museum geöffnet Di-So 10-17 Uhr, Eintritt, Busse 10,17, 60, jeweils mit kurzem Fußweg). Am Grunewaldsee gelegenes Jagdhaus, das 1542 unter Kurfürst Joachim II. von Caspar

Theyß gebaut wurde. Um 1700 Neubau, der das heutige Bild weitgehend bestimmt. Heute dient das Jagdschloß als Museum. Es enthält viele Gemälde deutscher, holländischer und flämischer Meister.

Schloß Bellevue

(Im Tiergarten, Spreeweg, Tel. 39 10 51, S-Bhf. Bellevue, Busse 16, 24, 69). Das 1785 für den Prinzen August Ferdinand, den Bruder König Friedrichs II., erbaute Schloß am Spreeweg wurde nach Kriegszerstörung im Jahre 1959 als Berliner Amtssitz des Bundespräsidenten wiederaufgebaut. Besichtigung der Innenräume nach telefonischer Anmeldung; schöner, öffentlich zugänglicher Park.

Schloß Kleinglienicke

(Wannsee, Tel. 8 05 30 41, Bus 6). Wurde 1826 bis 1828 von Schinkel zum Sommersitz des Prinzen Karl von Preußen ausgebaut. Das Restaurant im Schloß (Tel. 8 05 40 00) ist täglich von 11 bis 18 Uhr geöffnet. Schöner Park.

Schloß Tegel

(Humboldt-Museum, Adelheidallee 19-20, Führungen So; tel. erfragen beim Verkehrsamt unter 2 62 60 31. Busse 13, 14, 15, 20, U-Bhf. Tegel). 1821-24 von K. F. Schinkel für Wilhelm von Humboldt unter Verwendung eines Gebäudes aus dem 16. Jahrhundert erbaut, beispielhaft in seiner heiter-antikischen Schlichtheit und seiner Einbettung in die märkische Landschaft, ein Vorbild für eine ganze Generation Berliner Villenbauten. Das Landhaus, noch heute im Besitz der Familie und zu besichtigen, enthält die im ursprünglichen Zustand erhaltenen Wohnräume mit den schönen Antiken und Abgüssen, die Wilhelm von Humboldt hier versammelt hat. Durch eine alte Lindenallee geht es zur Grabstätte der Familie Humboldt und in den umgebenden Landschaftspark.

Schloß Pfaueninsel
(Tel. 8 05 30 42, Insel zu besichtigen 8-20 Uhr, Schloß tägl. geöffnet, außer Mo und in den Wintermonaten, 10-17 Uhr, Eintritt, Busse 6, 18, jeweils mit Fußweg). Das Schloß wurde 1794-1797 unter Friedrich Wilhelm II. als Ruine mit zwei Türmen gebaut und von Friedrich Wilhelm III. und der Königin Luise als Sommerresidenz benutzt (heute Museum).

Weitere Museen, Sammlungen und Archive

Berlinische Galerie
61, Stresemannstr. 110 (im Martin-Gropius-Bau), Tel. 25 48 63 02, täglich außer Mo 10-22 Uhr, Eintritt, S-Bhf. Anhalter Bahnhof, Busse 24, 29. Das Museum hat die Aufgabe, Berlins Beitrag zur Kunst des 20. Jahrhunderts zu zeigen. Auch Fotoabteilung. Kostenlose Führungen um 18 u. 20 Uhr.

Lapidarium
61, Hallesches Ufer 78 (U-Bhf. Möckernbrücke), Tel. 25 86 25 81, tägl. außer So 12-18 Uhr. Denkmäler aus dem Berliner Stadtbild sind hier in einem alten Pumpwerk untergebracht.

Berlin Museum
(Kreuzberg, Lindenstraße 14, Tel. 25 86-0, Di bis So 11-22 Uhr, Eintritt, U-Bhf. Hallesches Tor, Busse 24, 29, 41, 95). Stadtgeschichte Berlins; Berliner Porträts; Berliner Spielzeug. Kostenlose Führungen um 18 u. 20 Uhr.

Brücke-Museum
(Dahlem, Bussardsteig 9, Tel. 8 31 20 29, täglich 11-17 Uhr, außer dienstags, Eintritt, Bus 60). Sammlung von Kunstwerken der Künstlergruppe "Brücke", die in Deutschland den Expressionismus einleitete.

Käthe-Kollwitz-Museum
12, Fasanenstr. 24 (Nähe Ku'damm), Tel. 8 82 52 10, tägl. außer Di 11-18 Uhr, Eintritt. Plastiken, Zeichnungen und Grafiken der Künstlerin.

Georg-Kolbe-Museum
(Charlottenburg, Sensburger Str.

25, Tel. 3 04 21 44, täglich außer Mo 10-17 Uhr, Eintritt, Bus 94). Wohn- und Atelierhaus des Bildhauers Georg Kolbe (1877-1947); Plastiken von Kolbe und anderen Berliner Bildhauern, Wechselausstellungen.

Bröhan-Museum
19, Schloßstr. 1a, am Schloß Charlottenburg, Tel. 3 21 40 29, Di-So 10-18 Uhr. Kunstsammlung vom Jugendstil bis Art Déco.

Museumsdorf Düppel
37, Clauertstr., Tel. 8 02 66 71, Besuchszeiten Mai-Okt. So 10-13 Uhr, Bus 3. Freilichtmuseum aus der Frühzeit Berlins (13. Jh.) über einem originalen Ausgrabungsort mit Vorführung von Handfertigkeiten wie Weben, Töpfern usw.

Martin-Gropius-Bau
61, Stresemannstr. 110 (S-Bhf. Anhalter Bahnhof, Busse 24, 29), Tel. 25 48 60. Wiederhergestelltes ehemaliges Kunstgewerbemuseum in Kreuzberg, erbaut 1881 von Martin Gropius. Wird für große Ausstellungen genutzt. Außerdem befinden sich hier die Berlinische Galerie (s. dort), eine Schausammlung der Jüdischen Abteilung aus dem Berlin Museum und das Werkbund-Archiv, ein Museum zur Alltagskultur des 20. Jahrhunderts.

Botanisches Museum
33, Königin-Luise-Str. 6-8, geöffnet Di-So 10-17 Uhr, Mi bis 19 Uhr. Tel. 83 00 60, Bus 17. Geschichte, Verbreitung, Wuchsformen, Vermehrung und Fortpflanzung der Pflanzen. Hölzer, Kautschuk, Fasern, tropische und subtropische Nutz- und Genußmittelpflanzen, Getreide und altägypt. Grabbeigaben.

Deutsches Rundfunk-museum
19, am Fuße des Funkturms, Eingang vom Messedamm, täglich außer Di 10-17 Uhr. Kein Eintritt. Tel. 3 02 81 86. Ausstellungen u. a.: 60 Jahre Rundfunk in Deutschland, Entwicklung des Fernsehens.

Anti-Kriegs-Museum
65, Genter Str. 9 (U-Bhf. Leopoldplatz), Tel. 4 61 78 37, täglich 16-20 Uhr. Historisches und Aktuelles zu den Themen Krieg und Frieden.

Polizeihistorische Sammlung
42, Platz der Luftbrücke 6, Tel. 69 93 50 50, Öffnungszeiten bitte erfragen (Gruppen nach Vereinbarung), Eintritt frei.

Museum für Verkehr und Technik
61, Trebbiner Str. 9 (U-Bhf. Möckernbrücke, Bus 29), Tel. 25 48 40, Di, Mi 9-18, Do, Fr 9-21, Sa, So 10-18 Uhr, Eintritt. Technikmuseum mit Sammlungen zur Geschichte der Luftfahrt, der Eisenbahn, des Automobils, der Druckverfahren

u. v. a.; besonders interessant: das "Versuchsfeld" für Experimente und Demonstrationen. Sonderausstellungen. Gemütliches Restaurant im Museum.

Postmuseum

30, An der Urania 15, Tel. 212 82 01. Wegen Umbau augenblicklich geschlossen.

Haus am Checkpoint Charlie

61, Friedrichstr. 44 (U-Bhf. Kochstr.), Tägl. 9-22 Uhr, Eintritt, Tel. 2 51 10 32. Ständige Ausstellungen: "Die Mauer - vom 13. August bis heute", "Maler interpretieren die Mauer", "Berlin - von der Frontstadt zur Brücke Europas", "Von Gandhi bis Walesa"; Filmvorführungen. Sehenswert.

Kunstbibliothek der Staatl. Museen

12, Jebensstr. 2 (hinter dem Bahnhof Zoo), Mo, Do 13-21 Uhr, Di, Mi, Fr 9-17 Uhr, Tel. 31 01 16. Bedeutsame Bücher, Gebrauchsgrafik, Plakatsammlung, Handzeichnungen, Architekturnachlässe, Wechselausstellungen.

Landesarchiv Berlin

30, Kalckreuthstraße 1-2 (Schöneberg, Ecke Kleiststraße), Tel. 2 12 31. Zentrales Staatsarchiv des Landes Berlin. Wechselnde Ausstellungen zur Geschichte Berlins. Mo-Fr 8.30-15.30 Uhr, Do bis 18 Uhr.

Geheimes Staatsarchiv Preußischer Kulturbesitz

33, Archivstr. 12-14 (U-Bhf. Dahlem-Dorf), Tel. 83 20 31, Lesesaal: Mo-Fr 8-15.30 Uhr, Di bis 19.30 Uhr. Das Archiv verwahrt Urkunden, Akten und Autographen aus acht Jahrhunderten, verfügt über eine umfangreiche Fachbibliothek und gilt als eine der bedeutendsten historischen Forschungsstätten.

Kulturelle Institutionen, Kulturzentren

Außer den Museen mit ihren festen Beständen bietet Berlin ständig eine große Zahl von Ausstellungen, die über kürzere oder längere Zeit Werke bestimmter Künstler, Künstlergruppen oder Kunstrichtungen zeigen. Zu den Veranstaltern zählen staatliche Kulturinstitute und private Kunstvereine, die Kunstämter der Bezirke sowie die Kunstgalerien und der Kunsthandel.

Künstlerhaus Bethanien

36, Mariannenplatz 2, Tel. 6 14 80 10, U-Bhf. Kottbusser Tor. Sozio-kulturelles Zentrum in Kreuzberg mit Ateliers, Ausstellungsräumen, Bücherei, Theatersaal u. a. in schönem, altem Backsteinbau; auch Kulturarbeit für Gastarbeiter (insb. Türken).

Akademie der Künste

21, Hanseatenweg 10 (im Hansa-

viertel, Nähe U-Bhf. Hansaplatz), Tel. 3 90 00 70. Wichtige Ausstellungen, Vorträge, Konzerte, experimentelles Theater.

Staatliche Kunsthalle Berlin

30, Budapester Str. 46 (an der Gedächtniskirche), Tel. 2 61 70 67. Veranstaltung von national und international bedeutenden Ausstellungen. Di-So 10-18, Mi 10-22 Uhr, montags geschlossen.

Neuer Berliner Kunstverein

15, Kurfürstendamm 58 (Nähe Leibnizstraße), Tel. 3 23 70 91. Mo und Fr 12-18.30 Uhr, Di und Do 12-20 Uhr, Sa 11-16 Uhr. Wechselnde Ausstellungen. Die **Artothek** (15, Schlüterstr. 42, Tel. 8 82 38 65, Mo, Fr 12-17 Uhr, Di, Do 14-20 Uhr) leiht kostenlos Bilder, Grafiken und Skulpturen aus; die **Videothek** führt kostenlos Videobänder vor.

Neue Gesellschaft für Bildende Kunst e. V.

61, Tempelhofer Ufer 22, Tel. 2 16 30 47, Mo-Fr 10-17 Uhr. Realistische, gesellschaftlich engagierte Kunst der Gegenwart.

Haus am Lützowplatz

30, Lützowplatz 9, Tel. 2 61 38 05, tägl. 11-18 Uhr, außer montags. Wechselnde Ausstellungen.

Haus am Waldsee

37, Argentinische Allee 30 (Nähe U-Bhf. Krumme Lanke), Tel. 8 01 89 35, täglich 10-18 Uhr, außer montags. Kunst unserer Zeit: Ausstellungen, Musik, Tanz.

Urania Berlin

30, An der Urania 17 (Nähe Wittenbergplatz), Tel. 24 90 91. Vorträge auf allen Gebieten der Technik, Kultur, Kunst usw., Lesungen, Ausstellungen, Filme u. a.

Amerika-Haus

12, Hardenbergstr. 21-24 (am Bhf. Zoologischer Garten), Tel. 8 19 76 61. Informationszentrum über die Vereinigten Staaten und Begegnungsstätte mit Bibliotheks-, Lese-, Diskussions-, Musik-, Ausstellungs- und Vortragsräumen.

British Council/British Centre

12, Hardenbergstr. 20 (Nähe Bhf. Zoologischer Garten), Tel. 31 01 76. Informationsstätte über Großbritannien mit umfangreicher Leihbücherei und Vortragsveranstaltungen, Sprachlehrgängen, Konzerten, Lesungen, Film-Club (mit britischen Filmen in Originalfassung) und kleinen Theaterveranstaltungen.

Institut Français de Berlin

15, Ku'damm 211 (Ecke Uhlandstr.), Tel. 8 81 87 02. Eine Stätte französischer Kultur: Bibliothek, Lesesaal, Sprachkurse, Theateraufführungen, Konzerte, Filmvorführungen, Vorträge, Ausstellungen.

WO IST WAS LOS?

In Berlin ist in mancherlei Hinsicht mehr los als anderswo. Aber abgesehen von einigen Bezirken außerhalb der City, wo sich auch nicht mehr tut als in anderen Klein- und Großstädten, sind insbesondere die Entfernungen zwischen den Sehenswürdigkeiten und anderen interessanten Angeboten teilweise ganz erheblich. Wer nicht zwischendurch lange Wege mit öffentlichen Verkehrsmitteln, Taxis oder eigenem Fahrzeug zurücklegen, sondern zu Fuß und intensiv Berlin bei Tag und Nacht entdecken will, sollte sich auf die folgenden sieben Erlebniszonen konzentrieren. Wir haben kleine Gebiete ausgesucht, wo hauptsächlich Berliner und weniger Touristen (City natürlich ausgenommen) ihren Bedürfnissen und Freuden nachgehen. Es sind jeweils Bereiche, wo sich interessante, typische, originelle und auch berlinische Läden, Lokale, Einrichtungen und Stadtbilder nicht zufällig, sondern nach den Gewohnheiten und Vorlieben der An- und Einwohner, entwickelt und konzentriert haben. Hier könnt ihr tagsüber bummeln und besichtigen und abends und nachts ausgehen, einkehren, essen, tanzen, trinken und Leute kennenlernen. Alles ohne lange Wege, sondern immer in Sichtweite des nächsten und übernächsten Zieles. Viel Spaß!

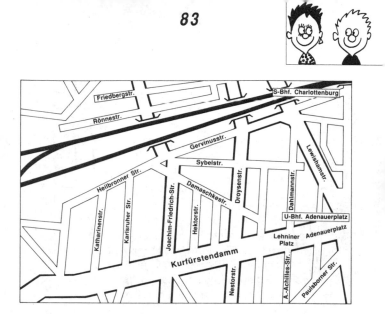

Rund um den Lehniner Platz

Zentraler Punkt ist der alte Mendelsohnbau, jetzt Spielstätte der Schaubühne. Hier besteht eine lebendigere und auch preiswertere Kauf-, Kultur- und Kneipenszene als im Citybereich rund um die Gedächtniskirche, mit deutlichem Hang zum New-Life-Style. Das Publikum ist jung und weniger touristisch. Im Athener Grill wird man unkonventionell, aber schnell und preiswert satt. Motto: Erst zahlen, dann essen, Reklamation zwecklos - und meist nicht nötig. Im Ciao ißt man original, gemütlich und gut italienisch. Im Atelier Internationale Kunst gibt's Kabarett und Kleinkunst. Das Café de music ist, wie einige umliegende Lokale, durchgehend geöffnet und ein beliebter Treffpunkt für Hard-Rock- und Motorradfans. Die umliegenden Diskotheken öffnen erst spät, sind aber alle empfehlenswert. Interessant für Kaufwillige sind Rahaus (Ku'damm 74) mit witzigen Wohnaccessoires, Storandt (Ku'damm 105) mit einer Riesenauswahl an Landkarten und Reiseführern, sowie zahlreiche Boutiquen und Shops speziell in den Seitenstraßen. Wichtig für Kunstinteressierte: die Galerie für Holographie (Ku'damm 103), die Möglichkeiten dieser aktuellen Technik präsentiert.

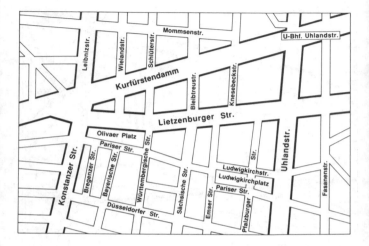

Zwischen Ludwigkirchplatz und Olivaer Platz

Vom Ku'damm-Tourismus verdrängt, hat sich zwischen Konstanzer und Uhlandstraße die Wilmersdorfer In-Szene entwickelt. Die, auch vom Publikum her, ältere Struktur findet ihr in den Lokalen und Geschäften in der Nähe des Olivaer Platzes. Interessanter und jünger wird die Szenerie, je mehr man sich dem Ludwigkirchplatz nähert. Besonders in der Pariser und Pfalzburger Straße er- und verblühen ständig neue Kneipen, Restaurants, Galerien und Geschäfte. Speziell das Galerieleben hat hier ein neues, viel beachtetes Zentrum gebildet. Da die Galeristen häufig am gleichen Abend zu offenen Vernissagen laden, kann man problemlos von einer Ausstellungseröffnung zur anderen wechseln und dabei nicht nur das Niveau der Kunst, sondern auch das der gratis gebotenen Getränke testen. Aber auch, wer auf eigene Kosten bummelt, kommt zu reellen Preisen auf die seinen. Im Dorfgasthaus wird man süddeutsch, bei Frido's neudeutsch, in beiden Fällen preiswert beköstigt. Tagsüber locken viele Cafés mit gutem Frühstück.

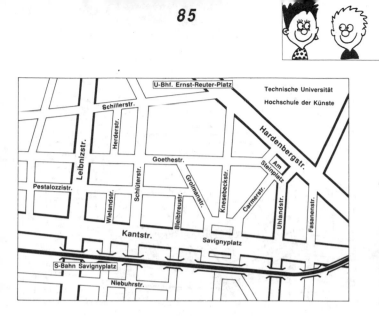

Rund um den Savignyplatz

Der nahe Ku'damm, die Studenten der Technischen Universität und der Hochschule der Künste und die In- und Besider der Berliner Filmszene prägen das Bild dieser lebendigen und vielseitigen innerstädtisch urbanen Gegend. Wer in der City bleiben, aber sich nicht touristisch übervorteilen lassen will, ist hier richtig. Zwischen Leibniz- und Uhlandstraße drängen sich beiderseits der und in den S-Bahnbögen Kneipen, Cafés, Galerien, Restaurants, Off-Kinos und originelle bis einzigartige Geschäfte aller Art. Unsere einzige Empfehlung: Kreuz und quer die Kantstraße und ihre Neben- und Seitenstraßen erforschen. Tagsüber könnt ihr nicht nur bummeln, kaufen und besichtigen, sondern in vielen Straßen mit gepflegten Altbauten einen guten Eindruck vom bürgerlichen Charlottenburg der Jahrhundertwende gewinnen. Nachtschwärmer finden bis zum frühen Morgen und immer in Sichtweite die nächste offene Tür. Hier gibt es mehr zu entdecken und zu erleben als irgendwo sonst in Berlin, nur Disco-Fans kommen hier nicht auf ihre Kosten. Rund um den Savignyplatz pflegt man die Unterhaltung mit eigenen Worten.

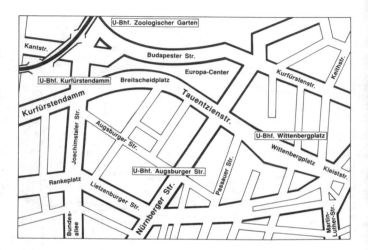

City

Rund um die Gedächtniskirche und am oberen Kurfürstendamm drängeln sich alle, die Berlin erleben, aber nicht kennenlernen wollen. Es lohnt sich zwar, hier tagsüber und am Abend
Weltstadtatmosphäre zu schnuppern, denn nach wie vor ist der
Kurfürstendamm der einzige, zumindest aber lebendigste Bummelboulevard Deutschlands - aber zum Kaufen und Einkehren
gibt es für junge Leute anderswo originellere, berlinischere und
insbesondere preiswertere Adressen. Lediglich Anhänger der
Hamburger und Fast-Food-Kultur finden hier ihr cleanes, cooles
Plätzchen. Immerhin, mal durch das Ku'damm-Karree, die Uh-
land/Fasanen-Passage oder das Europa-Center zu schlendern,
hat tags und abends seine Reize. Und nicht nur bei schönem
Wetter tummeln sich Straßenmusiker, -künstler, Selbstdarstel-
ler, fliegende Händler und Touristen aus aller Welt in diesem Bereich dicht an dicht. Interessant sind die Second-hand-Foto-
läden in der Augsburger und das umfassend sortierte "modern
telephone" in der Nürnberger Straße. Die junge Szene trifft sich
in der Disco Linientreu und nebenan im Café Society.

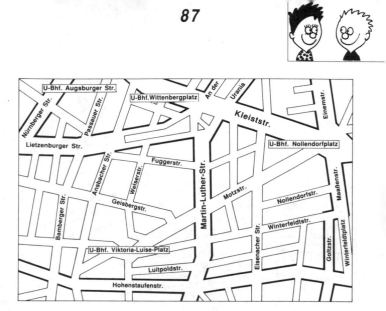

Zwischen City und Nollendorfplatz

Hier haben die Schöneberger ihren Kauf- und Kneipen-Kiez. Hier geht es weniger intellektuell als am Savignyplatz und nicht so schicky wie am Lehniner Platz, sondern eher alternativ gemütlich, um den und am Winterfeldtplatz teilweise auch pro- und aggressiv zu. Jedenfalls kann man auch hier am Tage und bei Nacht eine ordentliche und authentische Prise Berliner Luft schnuppern. Für Tagschwärmer sind neben dem Pflichtbesuch im KaDeWe besonders die vielen Antiquitäten- und Trödelläden u.a. im Bahnhof Nollendorfplatz und einige Second-hand-Läden, z.B. die Garage, wo es die Klamotten kiloweise gibt, interessant. Nachtschwärmerziele sind das Metropol, Berlins größte Disco, der Winterfeldtplatz mit nahen Nebenstraßen, die Motzstraße und der Kiez mit den bayerischen Straßennamen. Sehens- und erlebenswert ist jeden Mittwoch und Sonnabend der große Wochenmarkt auf dem Winterfeldtplatz. Berliner aller Nationalitäten treffen hier als Käufer und Verkäufer von in- und ausländischen Waren aller Art zusammen. Echte Berliner Basaratmosphäre - auch für Nur-Schaulustige.

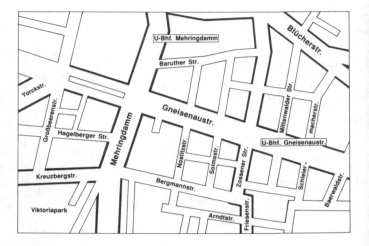

Kreuzberg

Hier, im Umfeld von Yorckstraße, Mehringdamm und Gneise-
naustraße sind die Nächte nicht länger als in Schöneberg oder
Wilmersdorf. Aber auch hier lohnt es sich, Läden, Lokale und
Leute kennenzulernen. Unbedingt sehenswert ist Riehmers Hof-
garten, eine riesige, renovierte Wohnanlage mit eindrucksvoller
Fassade und portalartigen Toreinfahrten von der Großbeeren-,
Hagelberger und besonders der Yorckstraße, wo sich zwei
Stuckriesen unter die Last der üppigen Hausfront stemmen. Von
der Großbeerenstraße geht der Blick auf einen 66 m hohen
"Berg" mit künstlichem Wasserfall und dem gußeisernen Denkmal für die Befreiungskriege (1813-15) nach einem Entwurf von
Schinkel (1821). Das Kreuz auf dem Denkmal gab dem Berg
und dem ganzen Bezirk seinen heutigen Namen. Am Chamissoplatz gewinnt ihr einen fast authentischen Eindruck, wie Kreuzberg einmal war und wie es wieder werden kann, wenn die sogenannte "Behutsame Stadterneuerung" durchgehalten wird.
Die Bergmannstraße mit der Marheineke-Markthalle hat sich als
kleines, typisches Kiezeinkaufszentrum erhalten. Viele Trödelläden.

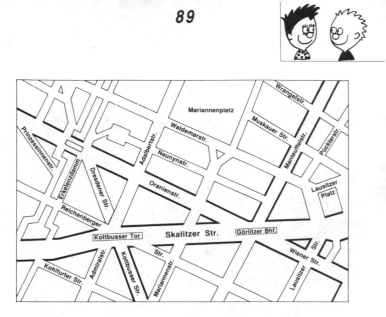

Kreuzberg SO 36

Hier sind die Nächte tatsächlich länger und aufregender als anderswo. Wer sich zur "Kreuzberger Szene" zählt, ist hier, rund um das Kottbusser Tor und weiter in Richtung Schlesisches Tor, zuhause oder zumindest unterwegs. Man wechselt von gemütlichen, irren, chaotischen und Schickeria- Lokalitäten zu türkischen und anderen fremdländischen Treffs und Restaurants. Zu jeder Tages- und Nachtzeit herrscht bunte Betriebsamkeit. Am meisten los ist im Dreieck Oranienstraße, Erkelenzdamm und Dresdener Straße: interessante Läden und Lokale dicht an dicht. Auch Kulturelles wird geboten: im ersten Stock der historischen Kneipe Max und Moritz spielt die Thalia Kleinkunstbühne. Die Galerien End art und Unart präsentieren Experimentelles. Ein beliebtes Off-Kino ist das Babylon. Sehenswert: der von Studenten der Hochschule der Künste gestaltete Häuserblock am Erkelenzdamm/Ecke Wassertorplatz. Mode aus Zweiter Hand gibt es bei Fifty/Fifty und Stoffwechsel, interessante Design- und Wohnartikel im Kontor. Der Milchladen verkauft - man staune - noch Milch aus der Kanne.

ESSEN

TRINKEN

Die **Berliner Küche**, eine gastronomische Kategorie, die sich unter dem Ansturm ausländischer Küchen zunehmend auf dem Rückzug befindet. Zu nennen wäre vielleicht noch das: Eisbein und Sauerkraut, Leber nach "Berliner Art" (mit Zwiebeln und Äpfeln) und natürlich die Bulette, eine Frikadelle mit mehr oder wenig viel "Schrippe" (Brötchen). Volksnahrungsmittel scheint inzwischen die Curry-Wurst geworden zu sein, eine Bratwurst (mit oder ohne Darm) mit Ketchup und Curry. Eine wirkliche Berliner Spezialität: die "Weiße", ein obergäriges Spezialbier mit wenig Alkohol, ohne oder mit "Schuß" (Himbeer- oder Waldmeistersirup), im Sommer durchaus erfrischend. Neuerdings erfreut sich die Berliner Weiße als Mix- und Cocktailbasis steigender Beliebtheit.

Die "Berliner Küche" ist meist noch dort anzutreffen, wo vorzugsweise deftig und auch preiswert gegessen werden kann: in einfachen Lokalen und Eckkneipen (auf die Speisenkarte im Aushang achten!).

Wir beginnen im folgenden, wie es sich gehört, mit den **Frühstückskneipen/Cafés;** eine gute Idee ist es in jedem Falle, den Tag in einer unkonventionellen Frühstückskneipe zu beginnen, und davon gibt es eine ganze Anzahl. Für zwischendurch, doch auch, wenn ihr es eilig habt oder preiswert essen wollt, geben wir einige Tips unter dem Stichwort **Imbißstände.** Danach folgen Restaurants mit **Deutscher Küche;** doch lediglich eine kurze Liste, denn spannender und aufregender ist natürlich die **Ausländische Küche.** Es macht ganz einfach Spaß, in Berlin auf kulinarische Entdeckungsreise zu gehen. Schaut euch erst unsere Liste an und dann: Viel Spaß!

Die Restaurants mit deutscher und ausländischer Küche, die wir für euch ausgesucht haben, sind solche, wo man gut und in netter Atmosphäre bei reellen Preisen essen kann. Auch einige etwas teurere sind darunter - wir sagen's in jedem Fall: Es gibt ja verschiedene Gründe, auch mal etwas mehr Geld locker zu machen. Übrigens: Die heißesten Tips erfährt nur der, der fragt. Denn gerade die heißen, meist neuen Kneipen und Restaurants sind oft auch schnell wieder "verraucht".

Frühstückskneipen, Cafés

Laßt euch im Hotel oder Gästehaus das pauschale Ei mit Brötchen und Marmelade nicht entgehen. Ihr müßt es ja sowieso bezahlen. Aber spart euch bei einem guten Berliner Frühstück mal das Mittagessen.

In den zahlreichen Frühstückskneipen trefft ihr Berlins junge Spätaufsteher bei Wurst- und Käseplatten, bei Salaten, Joghurt oder Cornflakes. Alles sehr gemütlich, kommunikativ und preiswert. In Berlin ist Frühstücken "in". So zwischen 10.00 und 14.00 Uhr. Auch wenn ihr euch nur mal gemütlich niederlassen, die Zeitung lesen oder Pläne schmieden wollt, seid ihr hier unter jungen Leuten und gern gesehen.

Fast überall ist bis abends was los. Und manche Kneipe bietet morgens auch Frühstück. Achtet auf die Öffnungszeiten.

Ein neuerer Trend für die frühe Stärkung: französisch inspirierte Imbißrestaurants.

Klassische Cafés, mit meist älterem Publikum, gibt's überall in Berlin. Die interessantesten zum Sitzen und Sehen sind am Ku'damm. Die findet ihr leicht selbst.

Frühstückskneipen (City)

Carioca, 15, Bayerische Str. 9 (Nähe Olivaer Platz), Tel. 8 83 52 62, Frühstück täglich von 8.30-24 Uhr.

Schalander, 15, Olivaer Platz 4, Tel. 8 83 61 25, 8-2 Uhr, Frühstück bis 15 Uhr. Gepflegt, eher bürgerliches Publikum.

Café Bleibtreu, 12, Bleibtreustr. 45, Tel. 8 81 47 56, 9.30-1 Uhr, Frühstück bis 14 Uhr.

Café Hardenberg, 12, Hardenbergstr. 10 (Nähe Steinplatz), Tel. 3 12 26 44, täglich 9-24 Uhr. Behagliches Studentencafé.

Sidney, 30, Winterfeldtstr. 40 (Nähe Nollendorfplatz), Tel. 2 16 52 53, täglich 9-4 Uhr. Moderne Einrichtung, auch Ausstellungen; Frühstück bis 17 Uhr.

Cafetarium, 12, Knesebeckstr. 76 (Nähe Ku'damm), Tel. 883 78 78, täglich 10-2 Uhr, Frühstück bis 15 Uhr.

Café Tomasa, 30, Motzstraße 60 (U-Bhf. Viktoria-Luise-Platz), Tel. 2 13 23 45, täglich 9-4 Uhr, Frühstück bis 17 Uhr. Bar, Café, Restaurant.

Café Voltaire, 12, Stuttgarter Platz 14, Tel. 3 24 50 28, durchgehend 24 Stunden geöffnet, Frühstück 4-1 Uhr.

Society, 30, Budapester Str. 42, Tel. 261 61 16, täglich rund um die Uhr. Café für junge Leute.

(Außerhalb der City)

Luise, 33, Königin-Luise-Str. 40, Tel. 8 32 84 87, tägl. 10-1 Uhr, Frühstück bis 14 Uhr. Gartenlokal, studentisch.

Café Stresemann, 61, Stresemannstr. 90 (Ecke Anhalter Straße), Tel. 2 61 17 60, 10-2 Uhr, Frühstück bis 16 Uhr. Sonntags Live-Musik zum Frühstücksbuffet. Gemischtes Publikum, Kiezatmosphäre.

Café Melanie, 41, Rheinstraße 43 (Nähe Walther-Schreiber-Platz), Tel. 8 51 60 04, täglich 8-3 Uhr, So ab 9 Uhr, Frühstück bis 1 Uhr nachts!

Café Carrousel, 30, Eisenacher Str. 86 (Ecke Rosenheimer Str.), Tel. 2 13 26 98, täglich 9-4 Uhr, Frühstück

bis 17 Uhr. Junges, aber auch etwas älteres Publikum. Gemütlich.

Imbißstände

Billig essen, d.h. wenig Geld ausgeben und dennoch satt werden, wird von Mal zu Mal schwieriger. Natürlich kann man sich einige Zeit auch von Curry-Würstchen oder Buletten (mit Kartoffelsalat bzw. Pommes Frites) ernähren; viele Berliner scheinen dies übrigens zu tun, und **Imbißstände** gibt es genug. Einige wirklich heiße Tips:
- der Imbißstand am Savignyplatz, westliche Seite/Ecke Kantstraße,
- der Imbißstand am Amtsgerichtsplatz, westliche Seite/Ecke Neue Kantstraße,
- der Imbißstand Ku'damm 185/Nähe Olivaer Platz (besonders empfehlenswert: Schaschlik),
- Krasselt in Steglitz am Steglitzer Damm 22 (die Curry-Wurst ist Spitze).

Etwas abwechslungsreicher und immer noch recht preiswert sind häufig **Fleischereien** (sprich: Schlachtereien oder Metzgereien), die während der Geschäftszeit einen Imbiß unterhalten. Empfehlenswert: die Imbißtheke bei Rogacki, 10, Wilmersdorfer Str. 145, Tel. 3 41 40 91 (vor allem Fisch). Auch die Restaurants und Imbißstände in **Kaufhäusern** bieten preiswertes Essen. Ein Imbiß der gehobenen Klasse:

Schlemmer Pylon, 12, Marburger Ecke Tauentzienstraße (am Europa-Center), täglich 6-23 Uhr, So geschlossen. Reichhaltige Auswahl an belegten Brötchen, Suppen usw.

Imbiß International
Fast überall findet ihr inzwischen türkische Imbißstände, die grundsätzlich zu empfehlen sind (Kebab!). Weitere Tips:
Fuji-Imbiß, 12, Goethestr. 6 (Nähe Knesebeckstr.), tägl. außer sonntags 12-23 Uhr. Japanisch.
Japan-Imbiß, 30 (Schöneberg), Winterfeldtstr. 7 (Nähe Potsdamer Str.), tägl. außer Mo 12-21 Uhr.
Ashoka, 12, Grolmanstr. 51 (Nähe Savignyplatz), Tel. 3 13 20 66, tägl. 9-3 Uhr. Indische Spezialitäten.
Kwang-Ju, 15, Emser Str. 24 (Nähe Ludwigkirchplatz), Tel. 883 97 94, täglich 12-24, Fr, Sa bis 2 Uhr. Chinesisch-koreanisch.

Hamburger Restaurants
haben sich inzwischen auch in Berlin durchgesetzt. Eine Auswahl an dieser Stelle erübrigt sich also, zumal, da es sich in jedem Fall um das übliche Standardangebot handelt.

Deutsche Küche

Laternchen, 19, Horstweg 2 (U-Bhf. Sophie-Charlotte-Platz), Tel. 3 22 16 74, tägl. von 19-1 Uhr. Alt-Berliner Bierlokal, gutes und reichliches Essen, gemütliche Atmosphäre.
Frido's, 15, Pfalzburger Str. 72a, Tel. 881 98 99, tägl. 17-3 Uhr. Neue Deutsche Küche, preiswert und gut. Auch als Kneipe angenehm.
Zum Ambrosius, 30, Einemstr. 14 (am Lützowplatz), Tel. 2 61 29 93, tägl.

9-1 Uhr. Preiswerte deutsche Hausmannskost, auch älteres Publikum.

Jahrmarkt, 12, Bleibtreustr. 49 (S-Bahn-Passage), Tel. 3 12 14 33, tägl. 12-2 Uhr, Küche bis 0.30 Uhr. Sa, So ab 17.30 Uhr. Publikum um 30.

Dorfgasthaus, 15, Sächsische Str. 7 (Ecke Darmstädter Str.), Tel. 8 81 92 39, tägl. 11.30-2 Uhr. Speziell alemannische Küche; viel Platz.

Wirtshaus Nußbaum, 31, Bundesplatz 5, Tel. 8 54 50 20, tägl. 12-2 Uhr, So ab 9 Uhr. Speziell Alt-Berliner Küche zu reellen Preisen, nostalgische Einrichtung (Frühstück bis 13 Uhr).

Beiz, 15, Schlüterstr. 38 (Nähe Ku'-damm), Tel. 8 83 89 57, tägl. 18-2 Uhr. Nette Atmosphäre im weiß getünchten Gewölbe, eher etwas etablierte Gäste.

Shell, 12, Knesebeckstr. 22 (Am Savignyplatz), Tel. 312 83 10, tägl. 9-2 Uhr. Gute leichte Küche in einer ehemaligen Tankstelle. Vegetarische Gerichte und sehr gutes Frühstück. Angenehmes Publikum.

Ausländische Küche

Asiatisch (Fernöstlich)

Dschingis Khan, 62 (Schöneberg), Martin-Luther-Str. 41 (Nähe Hohenstaufenstr.), Tel. 24 60 64, tägl. 18-2 Uhr. Preiswerte asiatische Küche, jüngeres Publikum.

Minfung, 31, Konstanzer Str. 54 (Nähe Olivaer Platz), Tel. 8 81 54 92, tägl. 12-24 Uhr. Gutes China-Restaurant bei mittlerem Preisniveau.

Asia, 12, Fasanenstr./Ecke Kantstr., Tel. 3 12 80 99, tägl. 12-24 Uhr. Preiswertes China-Restaurant.

Vietnam, 19, Suarezstr. 61 (Nähe Sophie-Charlotte-Platz), Tel. 3 23 74 07, tägl. 17-23.30 Uhr, Fr, Sa und So schon

ab 13 Uhr. Kleineres, vietnamesisches Restaurant, gute Küche, immer gut besucht.

Ashoka Taj, 12, Leibnizstr. 62 (Nähe Mommsenstr.), Tel. 3 23 60 74, tägl. 17-1 Uhr, Sa und So ab 12 Uhr. Indische Spezialitäten bei annehmbaren Preisen, auch vegetarisch. Junges Publikum.

Maharadscha, 30, Fuggerstr. 21 (Ecke Martin-Luther-Str.), Tel. 2 13 88 26, tägl. 12-24 Uhr. Gutes indisches Spezialitätenrestaurant, preiswerte Mittagsgerichte.

Tuk-Tuk, 62, Großgörschenstr. 2 (U-Bhf. Kleistpark), Tel. 7 81 15 88, tägl. 17-24 Uhr. Indonesische Spezialitäten, vegetarische Küche, preisgünstig.

Böhmisch

Schipkapass, 31, Hohenzollerndamm 185 (Nähe Fehrbelliner Platz), Tel. 87 19 41, tägl. 17-2, Fr, Sa ab 12 Uhr. Prager Küche, rustikale Einrichtung, reelle Preise.

Schwejk, 30, Ansbacher Str. 4 (Nähe Kurfürstenstr.), Tel. 2 13 78 92, tägl. 18-1 Uhr. Prager Gasthaus, reichliche Portionen.

Französisch

Le Bou Bou, 31, Ku'damm 103 (Nähe Joachim-Friedrich-Str.), Tel. 8 91 10 36, täglich 18.30-1 Uhr, Sa, So ab 12 Uhr. Viel Nostalgie, kleine französische Küche, gehobenes Preisniveau, eher etablierte Gäste.

Ty Breizh, 12, Kantstr. 75 (Nähe Windscheidstr.), Tel. 323 99 32, Mo-Fr 17-1, Sa, So, 18-2 Uhr. Bretonisches Restaurant, gute Atmosphäre, nicht zu teuer.

Cour Carrée, 12, Savignyplatz 5, Tel. 3 12 52 38, tägl. 12-1 Uhr, Art- Déco-Stil, französische Speisen, Garten.

Griechisch

Kennzeichen vieler griechischer Restaurants in Berlin: einfache Einrichtung, jüngeres Publikum, preiswerte Gerichte. Ab und zu Live-Musik. An dieser Stelle nur wenige Adressen:

"O" Mylos, 19, Holtzendorffstr. 20 (Nähe Kantstr.), Tel. 3 23 81 63, tägl. 17-0.30 Uhr.Freundliche Taverne.

Lissos, 15, Pfalzburger Str. 83 (Nähe Lietzenburger Str.), Tel. 8 83 57 02, tägl. 17-2 Uhr. Preiswert und gut.

Tatavla, 12, Mommsenstr. 10 (Ecke Schlüterstr.), Tel. 3 24 18 21, 17-2 Uhr. Nette Atmosphäre, etwas gehobenes Preisniveau.

Terzo Mondo, 12, Grolmanstr. 28, Tel. 881 52 61, tägl. ab 18 Uhr. Der Wirt aus der "Lindenstraße" live.

Italienisch

Eine Pizzeria findet man heute schon fast in jeder Straße. Doch die italienische Küche hat wesentlich mehr zu bieten als nur Pizza und Spaghetti. Die folgenden Restaurants beweisen das.

Ciao, 31, Ku'damm 156 (am Lehniner Platz), Tel. 8 92 36 12, täglich 12-2 Uhr. Lebendiger und guter Italiener, gleich neben der Schaubühne.

Piccolo Mondo, 19, Reichsstr. 9 (Nähe Theodor-Heuss-Platz), Tel. 3 04 47 34, tägl. 12-24 Uhr. Gutes italienisches Restaurant, gehobenes Preisniveau.

Palagonia, 12, Stuttgarter Platz 20 (Ecke Windscheidstr.), Tel. 3 24 13 60, täglich 12-0.30 Uhr. Gute Auswahl, gemütlich.

Preiswerte Pizza

Ali Baba, 12, Bleibtreustr. 45 (Ecke Niebuhrstr.), Tel. 8 81 13 50, tägl. 12-3 Uhr.

Amigo, 12, Joachimstaler Str. 39/40 (Nähe Ku'damm), Tel. 882 25 49, tägl. 11-1 Uhr.

Piccola Taormina, 15, Uhlandstr. 29 (Nähe Ku'damm), Tel. 8 81 47 10, täglich 11-2 Uhr.

Roma, 62, Belziger Str. 60 (Nähe Rathaus Schöneberg), Tel. 7 81 15 80, täglich 12-24 Uhr. Viel Platz, preiswert und ausreichend gut.

Jugoslawisch

Die jugoslawische Küche behauptet sich seit Jahren mit Erfolg in Deutschland und ist inzwischen so bekannt, daß wir an dieser Stelle nur zwei Tips geben wollen.

Novo Skopje, 15, Ku'damm 38 (Nähe Knesebeckstr.), Tel. 8 83 85 49, tägl. 11.30-1 Uhr, Fr und Sa bis 3 Uhr. Mi ab 18 Uhr. Eher touristisches Publikum, da am Ku'damm gelegen.

Mustafa Grill, 12, Kaiser-Friedrich-Str. 61a (Nähe Kantstr.), Tel. 3 23 70 53, täglich 12-5 Uhr. Sehr gute Auswahl, etwas teurer.

Spanisch-Portugiesisch

El Bodegon, 12, Schlüterstr. 61 (Nähe Kantstr.), Tel. 3 12 44 97, täglich außer Di 18-1 Uhr. Lebhaftes spanisches Restaurant mit Gitarrenmusik, etwas höhere Preise.

Borriquito, 12, Wielandstr. 6 (Ecke Kantstr.), Tel. 3 12 99 29, täglich 19-5 Uhr. Spanisches Restaurant, ab und an mit Live-Musik, häufig auch spanische Gäste.

Litfaß, 12, Sybelstr. 49 (Nähe Dahlmannstr.), Tel. 3 23 22 15, tägl. 18-3 Uhr. Preiswerte portugiesische Küche bei zwangloser Atmosphäre, junges Publikum.

Lusiada, 31, Ku'damm 132a (Nähe Adenauerplatz), Tel. 8 91 58 69, täglich 17-2 Uhr. Gute und nicht zu teure portugiesische Küche.

Südamerikanisch

Los Indios, 12, Kaiser-Friedrich-Str. 63 (Nähe Kantstr.), Tel. 3 13 80 76, tägl. 18-1 Uhr und 15, Xantener Str. 9 (Nähe Olivaer Platz), Tel. 8 83 40 58, täglich 18-1 Uhr. Hier gibt's typische und preiswerte Gerichte aus der Pfanne. Immer gut besucht, lebendige Atmosphäre.

La Batea, 12, Krumme Str. 42 (Nähe Kantstr.), Tel. 31 70 68, tägl. 12-3 Uhr. Volkstümliches Essen aus Lateinamerika, auch Galerie. Immer gut besucht, vorwiegend Studenten.

La Estancia, 31, Bundesallee 45 (Ecke Badensche Str.), Tel. 8 61 31 13, tägl. 18.30-2 Uhr. Viele interessante Gerichte, häufig überfüllt.

Som Tropical, 12, Kaiser-Friedrich-Str. 40, Tel. 313 45 62, tägl. 19-1 Uhr. Preiswertes brasilianisches Essen, lebhafte Atmosphäre, lateinamerikanische Live-Musik.

Türkisch

Karavan, 15, Ku'damm 11 (an der Gedächtniskirche), Tel. 8 81 50 05, tägl. 18-2 Uhr. Empfehlenswertes Restaurant, auch Imbiß (ab 10 Uhr).

Öz Samsun, 44, Karl-Marx-Str. 16 (U-Bhf. Hermannplatz), Tel. 622 47 64, tägl. 11.30-1 Uhr, Fr, Sa, So bis 4 Uhr. Gutes Essen, etwas teurer.

Einfachere und auch authentischere türkische Lokale gibt es in Kreuzberg, z. B.:

Ömür Grill, 36, Oranienstr. 6 (Nähe U-Bhf. Görlitzer Bhf.), Tel. 6 18 72 12, tägl. 11-2 Uhr.

Altin Köse, 36, Dresdener Str. 126, tägl. ab 10 Uhr.

Kösem Lokali, 61, Körtestr. 29

Verschiedenes

Kurdistan, 12, Kaiser-Friedrich-Str. 41 (Nähe Kantstr.), Tel. 31 70 21, und 15, Uhlandstr. 161 (Nähe Lietzenburger Str.), Tel. 8 83 96 92. Täglich ab 18 Uhr, So schon ab 12 Uhr. Kurdische Spezialitätenrestaurants mit Atmosphäre.

Katschkol, 12, Krumme Str./Ecke Pestalozzistr., Tel. 3 12 34 72, tägl. 18-24 Uhr. Afghanisches Restaurant, nette Einrichtung.

Restaurant am Nil, 19, Kaiserdamm 114 (Nähe Sophie-Charlotte-Platz), Tel. 3 21 44 06, täglich 15-24 Uhr, Mo geschlossen. Größeres Restaurant mit ägyptischen Spezialitäten, auch vegetarische Kost.

Samovar, 10, Luisenplatz 3 (Nähe Schloß Charlottenburg), Tel. 3 41 41 54, tägl. außer Mo 17-1, So ab 11.30 Uhr. Sympathisches russisches Restaurant, etwas teurer.

Restaurant im Jüdischen Gemeindehaus, 12, Fasanenstr. 79/80 (Nähe Ku'damm), Tel. 88 42 03 39, Mo, Fr, So 12.30-15 Uhr, Di, Mi, Do 12.30-20 Uhr, Sa geschlossen. Gut geführtes Restaurant mit koscherer Küche.

Simsalat, 30, Ansbacher Str. 11 (Nähe Wittenbergplatz), Tel. 2 11 90 34, tägl. außer So 8.30-24 Uhr. Freundliches Restaurant für Ernährungsbewußte: ausgezeichnetes Salatbuffet, viel Vegetarisches.

La Mascera, 62, Koburger Str. 5 (Nähe Innsbrucker Pl.), Tel. 784 12 27, tägl. 17.30-24 Uhr. Vegetarisches Restaurant mit italienischem Einschlag; preiswert.

Lützower Lampe, 10, Behaimstr. 25 (U-Bhf. Richard-Wagner-Platz), Tel. 3 42 16 55, tägl. 10-22 Uhr. Makrobiotische Kost.

Roter Sand, 30, Kurfürstenstr. 109 (Nähe Ansbacher Str.), Tel. 2 13 64 41, tägl. 11-22 Uhr, So geschlossen. Fischrestaurant, bürgerlich.

KNEIPEN
DISKOTHEKEN

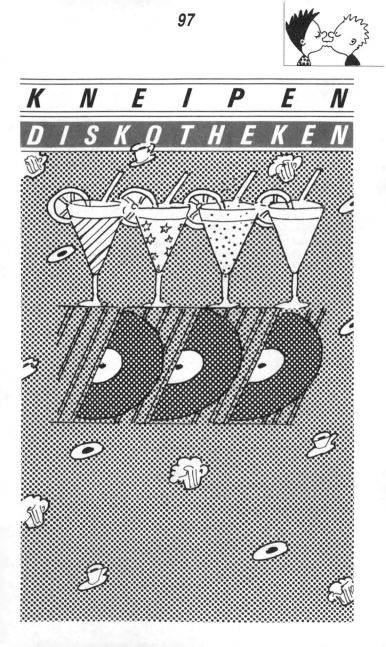

Kneipen

Bei der Liste von Lokalitäten, die wir hier unter dem Stichwort "Kneipen" zusammengefaßt haben, handelt es sich um Orte, wo sich junge Leute treffen, um zu reden, quatschen, politisieren, sehen, gesehen zu werden, in Ruhe gelassen zu werden, ein Bierchen zu trinken usw. Kurz im Deutsch der Soziologen: um soziale Kommunikationszentren. Vielfach kann man in den angegebenen Lokalen auch noch eine Kleinigkeit essen.

Im City-Bereich:
Filmbühne am Steinplatz, 12, Hardenbergstr. 12 (am Steinplatz), Tel. 3 12 90 12, tägl. 10-2 Uhr. Kino und Restaurant; studentisches Publikum, auch kleine Speisen.
Wirtshaus Wuppke, 12, Schlüterstr. 21 (Nähe Kantstr.), Tel. 3 13 81 62, tägl. 12-4 Uhr. Typische Quatschkneipe.
Loretta im Garten, 15, Lietzenburger Str. 89 (zwischen Pfalzburger und Emser Str.), Tel. 881 68 84, tägl. 19-2 Uhr. Großes Gartenlokal im City-Bereich, auch bei schlechtem Wetter empfehlenswert, da Pavillon-Bauten. Publikum 20-30.
Spree-Athen, 12, Leibnizstr. 60 (Nähe Ku'damm), Tel. 3 24 17 33, tägl. 18-2 Uhr. Gemütliche Kneipe, viel Musik, Buffet.
Café Einstein, 30, Kurfürstenstr. 58 (Nähe Nollendorfplatz), Tel. 2 61 50 96, tägl. 10-2 Uhr. Wiener Caféhaus, auch Live-Veranstaltungen. Sommergarten.
Zillemarkt, 12, Bleibtreustr. 48 (an der S-Bahn), Tel. 8 81 70 40, tägl. 8-3 Uhr. Kneipe und Restaurant, Publikum um 20, guter Treffpunkt.

Zwiebelfisch, 12, Savignyplatz 7, Tel. 31 73 63, tägl. 12-8 Uhr. Treffpunkt der literarischen Bohème jeden Alters, gute Atmosphäre zum Kontakten, auch einige Speisen.
Spatz, 30, Kurfürstenstr. 56 (Ecke Derfflingerstr.), Tel. 2 61 27 57, tägl. außer So von 19-3 Uhr. Lebhaftes Kellerlokal mit viel Stimmung für junge Leute, auch Essen.
Irish Harp, 12, Giesebrechtstr. 15, Tel. 8 82 77 39, tägl. 11-2 Uhr. Gute Atmosphäre, am Wochenende auch Programm.
Ku-Dorf, 15, Joachimstaler Str. 15, Tel. 8 83 66 66, tägl. ab 20 Uhr. Eintritt. 22 Kneipen, Diskothek, auch Live-Musik.
Sunset, 12, Hardenbergstr. 29c (Nähe Zoologischer Garten), Tel. 2 62 47 66, tägl. 10-1 Uhr. Bistro, Bar, Café americain.
New York, 15, Olivaer Platz 15, Tel. 8 83 62 58, tägl. 10-4 Uhr. Musik-Café, Cocktail-Bar, auch Frühstück. Junges schickes Publikum.
Breitengrad, 12, Mommsenstr. 45, Tel. 323 63 64, tägl. 16-4 Uhr. Riesenplastik am Eingang und gemischtes junges Nachtschwärmerpublikum.
Kronenbourg, 15, Pfalzburger Str. 11, Tel. 8 81 77 93, 10-24 Uhr (Café-Restaurant), 18-2 Uhr (Bistro). Gelungene Atmosphäre mit Spiegeln und Kachelbildern.

Außerhalb des City-Bereichs:
Robbengatter, 62 (Schöneberg), Grunewaldstr. 55 (Nähe Bayerischer Platz), Tel. 8 53 52 55, tägl. 9-4 Uhr. Gutes Essen, Billard.
Café M, 30, Goltzstr. 33, Tel. 2 16 70 92, tägl. 9-3 Uhr, Szenekneipe in Schöneberg. Frühstück durchgehend.
Leydicke, 62 (Schöneberg), Mansteinstr. 4 (Nähe Yorckstr.), Tel. 2 16 29 73, tägl. 16-24 Uhr, Mi, Sa ab 11

Uhr, Mo, Fr auch 12-14 Uhr. Alt-Berliner Destille, Publikum von 18-80, lebhaft, gute Kontaktmöglichkeiten.

Schöneberger Weltlaterne, 30, Motzstr. 61 (Nähe Viktoria-Luise-Platz), Tel. 2 11 62 47, tägl. 18-3 Uhr. Guter Treffpunkt für jüngeres Publikum, häufig überfüllt, portugiesische Speisen zu günstigen Preisen.

Gottlieb, 62 (Schöneberg), Großgörschenstr. 4 (Nähe Potsdamer Str.), Tel. 7 82 39 43, tägl. 18-1 Uhr. Originelles Publikum, sehr lebhaft, meist überfüllt.

Joe am Wedding, 65, Amrumer Straße 31 (Ecke Seestraße), Tel. 454 19 06, täglich 10-2 Uhr. Restaurant, Musik-Café und Diskothek, im Sommer auch Biergarten. Viel Platz. Eintritt.

Kleisther, 62, Hauptstr. 5 (Nähe Grunewaldstr.), Tel. 7 84 67 38, tägl. 11-3, Fr, Sa bis 5 Uhr. Helles, jugendliches Lokal, auch Frühstück.

Slumberland, 30, Goltztr. 24 (am Winterfeldtplatz), Tel. 216 53 49, tägl. ab 22, Sa auch 11-15 Uhr. Originelles Dekor und Publikum, Szenekneipe.

Riehmers, 61, Yorckstr. 83 (Nähe Mehringdamm), Tel. 7 85 98 33, tägl. 22-4 Uhr. Neon Look für unkonventionelle Typen.

Yorck-Schlößchen, 61, Yorckstr. 15 (Ecke Hornstr.), Tel. 215 80 70, tägl. 9-3 Uhr. Populäre Kreuzberger Kneipe in einem Alt-Berliner Mietshaus; häufig auch Programm. Vorgarten.

Wirtschaftswunder, 61, Yorckstr. 81, Tel. 786 99 99, tägl. ab 14.30-4.30 Uhr. 60er Jahre-Nostalgie.

Saftladen, 31 (Wilmersdorf), Wegenerstr. 1, Tel. 87 59 96, tägl. außer So 17-23 Uhr. Alternativer Treffpunkt.

blisse 14, 31, Blissestr. 14 (U-Bhf. Blissestr.), Tel. 8 21 10 91, Mo-Fr 8-23 Uhr, So 10-17 Uhr, Sa geschl. Café und Restaurant für behinderte und nichtbehinderte Menschen, rollstuhlgerecht

eingerichtet. Zugleich sozialtherapeutisches Zentrum mit vielfältigem Programm.

Musikkneipen mit Live-Musik

Musikkneipen, das können sein Jazzkneipen, Rockkneipen, Kneipen mit Folklore, Chanson und literarischen Aktivitäten oder auch Kneipen mit einer Mischung aus allem. In jedem Fall ist die Berliner Szene sehr lebendig. Am Wochenende sind die Kneipen häufig überfüllt, oft verlangen sie auch Eintritt.

Flöz, 31, Nassauische Str. 37 (Nähe Berliner Str.), Tel. 8 61 10 00, tägl. ab 11 Uhr, Musik- und Theaterkneipe mit abwechslungsreichem Programm, häufig guter Jazz.

Go In, 12, Bleibtreustr. 17 (Nähe Mommsenstr.), Tel. 8 81 72 18, tägl. ab 20 Uhr. Folk, Chanson, Literarisches, gute Atmosphäre.

Salsa, 12, Wielandstr. 13 (zwischen Kantstr. und Ku'damm), Tel. 3 24 16 42, täglich 18-1 Uhr. Musik-Café mit Programm, junges Publikum.

Joe am Ku'damm, 15, Ku'damm 225 (Ecke Joachimstaler Str.), Tel. 8 83 62 73, tägl. 12-4 Uhr. Lebendige, große Musikkneipe, Publikum um 30 und darüber, nicht billig, Eintritt.

Quartier Latin, 30, Potsdamer Str. 99 (Nähe Kurfürstenstr.), Tel. 2 61 17 21, tägl. ab 19 Uhr. Wichtige Adresse der Rock- und Jazzszene, Eintritt je nach Veranstaltung, Programm beachten.

Quasimodo, 12, Kantstr. 12a (Ecke Fasanenstr.), Tel. 3 12 80 86, tägl. ab 20

Uhr. Kellerkneipe mit Jazz- und Rockgruppen, jüngeres Publikum, viel Atmosphäre, Eintritt.

Eierschale, 33 (Dahlem), Podbielskiallee 50 (am U-Bahnhof), Tel. 8 32 70 97, tägl. 10-2 Uhr. Live-Programm ab 19 Uhr. Verschiedene Jazzgruppen, auch Möglichkeiten zum Essen, Publikum um 30.

Nordpol, 65, Brüsseler Str. 3 (Nähe U-Bhf. Seestraße), Tel. 453 18 90, tägl. 12-4 Uhr. Musikcafé, auch mit Live-Musik. Preiswertes Essen, Publikum zwischen 20 und 40.

Ku-Dorf, 15, Joachimstaler Str. 15, Tel. 8 83 66 66, tägl. ab 20 Uhr. Unterirdische Bummelstraße mit Gaststuben, Jazzpinte, Disco, Piano-Bar, Snacks usw. Touristisch durchsetzt. Eintritt.

Diskotheken, Tanzlokale

Die Jugenddiskotheken Pop Inn und Sloopy werden von dem Gemeinnützigen Verein "Berliner Jugendclub Stätte der Begegnung e. V." getragen; dementsprechend maßvoll sind die Preise:

Pop Inn, 41 (Steglitz), Ahornstr. 15a (Nähe Lepsiusstr.), Tel. 7 91 30 49, Mi, Do 19-23, Fr 19-24, Sa 18-24, So 18-23 Uhr. Jugenddiskothek, einfache Ausstattung, junges Publikum.

Sloopy, 52 (Reinickendorf), Scharnweberstr. 17-20, Tel. 4 12 81 80, Do 17-23 Uhr, Sa 17-24 Uhr, So 17-23 Uhr. Jugenddiskothek, einfache Einrichtung, freundliches Personal.

Big Eden, 15, Ku'damm 202 (Nähe Knesebeckstr.), Tel. 3 23 20 16, tägl. 18-5 Uhr. Preiswerter Tanzschuppen für junge Leute, viel Platz. Verschiedenste Spielautomaten, auch Snacks. Eintritt.

Riverboat, 31, Hohenzollerndamm 177 (Fehrbelliner Platz), Tel. 87 84 76, tägl. außer So, Mo 19-24 Uhr, Fr bis 1 Uhr, Sa bis 2 Uhr. Beliebtes Tanzlokal: 4 Diskotheken in 4 Räumen. Immer gut besucht, vielfach westdeutsche Gruppen, maßvolle Preise.

Metropol, 30, Nollendorfplatz 5, Tel. 2 16 41 22, Fr, Sa ab 22 Uhr. Riesengroße Super-Disco mit allen technischen Gags, Eintritt. Auch wichtige Adresse für Rock-, Pop- und Sonderveranstaltungen; jedoch unregelmäßig und dann hohe Eintrittspreise.

Dschungel, 30, Nürnberger Str. 53 (Nähe Tauentzienstr.), Tel. 24 66 98, täglich außer Di 23-4 Uhr. Disco im Stil der 50er Jahre, nicht der übliche Disco-Sound, Publikum 25-35 Jahre. Einlaßkontrollen, empfehlenswert nur für kleine Gruppen.

Sektor, 61 (Kreuzberg), Hasenheide 13 (U-Bhf. Hermannplatz), Tel. 6 91 35 40, Mo, Fr, Sa, So 19-4 Uhr. Moderne Tanzarena in Metall und Glas für jüngeres Publikum, viel Platz. Eintritt.

Madow, 15, Pariser Str. 23-24 (Nähe Olivaer Platz), Tel. 8 83 92 60, tägl. ab 22 Uhr, Mo geschlossen. Diskothek mit progressiver Musik, an manchen Tagen auch speziell Musik aus den 70er Jahren. Café.

Rock it, 44 (Neukölln), Karl-Marx-Str. 188 (Nähe U-Bhf. Karl-Marx-Straße), Tel. 6 87 78 98, täglich außer Mo und Mi ab 22 Uhr, Eintritt. Publikum bis 30, gute Atmosphäre um Mitternacht.

Big Apple, 15, Bundesallee 13 (U-Bhf. Spichernstr.), Tel. 8 81 28 87, tägl. ab 19 Uhr. Jugendliche Disco.

Sugar Shack, 30, Nürnberger Str. 50 (Nähe Tauentzienstr.), Tel. 24 76 75, Mi-So ab 21 Uhr. Lebendige Neondisco mit jungem, adretten Publikum, sich eher "cool" gebend.

Midnight, 15, Lietzenburger Str. 86(Nähe Uhlandstr.), Tel. 8 82 71 87, tägl. außer Mo, Di ab 21 Uhr. Sehr gediegene Disco für Leute bis 30.

Bee Hive, 12, Lewishamstr. 9 (U-Bhf. Adenauerplatz), tägl. ab 23 Uhr. Disco mit gut gemischtem Publikum.

Empire, 62, Hauptstr. 30 (Nähe Eisenacher Str), Tel. 7 84 85 65, tägl. außer Mo ab 20 Uhr. Große, moderne und helle Disco, Live-Musik.

Chicago, 15, Kurfürstendamm 218 (Nähe Fasanenstr.), Tel. 8 81 31 22, tägl. ab 19 Uhr. Diskothek mit gemischtem Publikum; Verzehrbon.

Glückstein, 21, Bachstraße/S-Bahnbogen 475 (Nähe S-Bhf. Tiergarten), Tel. 391 79 29, Do-So ab 23 Uhr. Guter Tanzschuppen mit S-Bahn-Sound über den Köpfen.

Twenty-Five, 30, Europa-Center (Zugang von der Tauentzienstr.), Tel. 2 61 17 99, täglich ab 19 Uhr. Schicke und moderne Neondisco, viel Platz, im Sommer mit Biergarten. Touristisch durchsetztes Publikum; Eintritt bzw. Verzehrbon.

Far Out,15, Kurfürstendamm 156, Tel. 32 00 07 23, tägl. 22-5 Uhr. Lebhafte Disco, gemischtes Publikum, abwechslungsreiche Musik.

Linientreu, 30, Budapester Str. 40, Tel. 261 44 10, tägl. 22-5 Uhr. Junges Publikum; bunte, laute Atmosphäre.

Flash Dance, 15, Kurfürstendamm 206 (Carrée), Tel. 883 52 08, tägl. 19 Uhr. Typischer Discosound, sehr viel Platz, gelegentlich Tänzerwettbewerbe und Shows.

Tolstefanz, 15, Brandenburgische Str. 35, Tel. 892 77 93, tägl. 22-8, Fr, Sa ab 21 Uhr bis in den Vormittag. Große Innenstadtdisco im Zeittrend.

Schröder, 10, Bismarckstr. 28, Tel. 341 48 90, Café 8-19, Disco 21-4 Uhr. Musikcafé und Disco im Stil der 80er Jahre.

Zeleste, 30, Marburger Str. 2, Tel. 211 64 45, ab 21 Uhr. Cocktailbar und Disco, American Style, oft Livemusik (Jazz, Funk).

Yesterday, 30, Tauentzienstr. 8 (am Europa-Center), Tel. 262 31 54, täglich 19-2 Uhr. Junges Publikum, Reisegruppen gern gesehen.

Belushis, 31, Mecklenburgische Str./ S-Bhf. Schmargendorf, Tel. 823 65 63, Di-Sa ab 21 Uhr, Eintritt. Schickes Publikum in früherem S-Bahnhof.

DER TOTALE
KONSUMTRIP

Bei uns gibt's nichts, was es nicht gibt, zumindest mehr als anderswo. Das KaDeWe am Wittenbergplatz ist das größte Kaufhaus des Kontinents. Ein Pflichtprogramm für Shopping-Freaks. Die Lebensmittelabteilung kann man getrost als Sehenswürdigkeit einstufen. Was davon zu halten ist, bleibt Geschmackssache. Von "faszinierend" bis "dekadent" sind alle Meinungen möglich und erlaubt.

Ansonsten gilt hier wie überall: Gewußt wo? Modisches von elegant bis ausgeflippt entdeckt man am besten so: In der Disco oder Kneipe die fragen, die das tragen, was man selbst gern hätte. Das bringt garantiert die heißesten Tips und nebenbei die besten Kontakte.

Haupteinkaufsmeile der Berliner ist die Tauentzienstraße zwischen Gedächtniskirche und Wittenbergplatz. Kleine und feine Geschäfte aller Art drängeln sich auf dem Ku'damm und in allen Nebenstraßen bis etwa zum Olivaer Platz. Aber auch die Berliner Bezirke, die ja alle Großstädte für sich sind, haben eigene Einkaufszentren mit großen Kaufhäusern und Geschäften aller Art. Z. B.: Schloßstraße in Steglitz, Wilmersdorfer Str. und Kantstraße in Charlottenburg, Karl-Marx-Straße in Neukölln, Turmstraße und Alt-Moabit in Tiergarten, Berliner Straße und Tegel-Center in Reinickendorf und die Altstadt in Spandau.

Wenn's regnet, aber nicht nur dann, empfehlen sich die folgenden Einkaufs- und Bummelparadiese:
- das Europa-Center an der Gedächtniskirche,
- das Kudamm-Karree (zwischen Uhland- und Knesebeckstr.),
- das Forum Steglitz (am Walther-Schreiber-Platz).

Sehens-, erlebens- und besuchenswert sind auch die zahlreichen **Wochenmärkte** in allen Stadtteilen: z. B. der Markt auf dem Winterfeldtplatz im Bezirk Schöneberg (Mi und Sa vormittags), der Markt am Maybachufer im Bezirk Neukölln (an der Grenze zu Kreuzberg - Mo, Di vormittags, Fr nachmittags) und der Markt auf dem Kranoldplatz in Lichterfelde (Mi, Sa vormittags). Schließlich zwei schöne alte **Markthallen:** Arminius-Markthalle, 21, Arminiusstr. 2, und Eisenbahn-Markthalle, 36, Eisenbahnstr. 43/44; beide Mo-Fr 8-18, Sa 8-13 Uhr.

Einkaufen nach Ladenschluß

Normalerweise sind in Berlin die Geschäfte Montag bis Freitag von 9-18 Uhr geöffnet, Kaufhäuser und Geschäfte im City-Bereich bis 18.30 Uhr; am Sonnabend könnt ihr von 9-13 Uhr, in den Kaufhäusern und im City-Bereich bis 14 Uhr einkaufen. (Versuchsweise haben einige Geschäfte im City-Bereich auch nach Ladenschluß noch geöffnet.) Ausnahme ist der erste Sonnabend eines jeden Monats: In den Haupteinkaufsstraßen haben an diesem Tag fast alle Geschäfte und Kaufhäuser bis 18 Uhr geöffnet.
In einigen Geschäften kann man auch nach dem offiziellen Ladenschluß noch einkaufen:

Lebensmittel

Edeka, im U-Bahnhof Schloßstraße, Mo-Fr 15-22 Uhr, Sa 13-22 Uhr, So 10-20 Uhr.
Metro, im U-Bahnhof Fehrbelliner Platz, täglich 12-22.30 Uhr.
Metro, im U-Bahnhof Kurfürstendamm, Mo-Fr 18-23 Uhr, Sa 14-23 Uhr, So 11-23 Uhr.

Bücher

Kiosk im Bahnhof Zoo, tägl. 5.30-23.30 Uhr. Zeitschriften, auch Bücher.
Heinrich Heine Buchhandlung, 12, im S-Bahnhof Zoo, Tel. 3 13 48 80, Mo-Sa 10-20 Uhr, So 14-20 Uhr.

Wohlthat's City-Buchladen, 12, Budapester Str. 44 (an der Gedächtniskirche), Tel. 2 62 36 36, Mo-Sa 10-23 Uhr.

Zeitschriften

Internationale Presse, 12, Joachimstaler Straße 1 (am Bahnhof Zoo), Tel. 8 81 72 56, täglich 7-24 Uhr. Auch Geschenke, Souvenirs, Reisebedarf.
Internationale und Berliner Presse, 15, Ku'damm 206-209 (Passage im Ku'damm-Karree), Tel. 8 81 33 96, täglich 6.30-23 Uhr.
Kiosk Joachimstaler Straße/Ecke Ku'damm, Mo-Fr 6-21.30 Uhr, Sa 6.30-22.30 Uhr, So 8-21.30 Uhr.

Einkaufstips

Antiquitäten, Trödel, Flohmärkte

Vom billigen Ramsch, der oft schon zu teuer ist, bis zu sehr alten und wertvollen Antiquitäten reicht die Palette des Angebots, und die Grenzen sind fließend. Dementsprechend vielfältig in Qualität und Preisen sind die Geschäfte. Gute, dann leider auch sehr teure **Antiquitätengeschäfte** findet man vor allem in der Eisenacher Straße/Motzstraße und Umgebung, der Keithstraße, am Ku'damm und in dessen Nebenstra-

ßen. Billiger sind natürlich die **Trödelgeschäfte.** Sie haben fast alles, was nicht mehr ganz neu ist. Richtige Trödelgegenden sind in Kreuzberg um die Bergmannstraße und in Neukölln um die Flughafenstraße herum. Darüber hinaus befinden sich fast überall im "städtischen" Berlin, besonders in den Bezirken Kreuzberg, Schöneberg und Charlottenburg, Trödelgeschäfte, doch eben nicht so geballt, daß man direkt Straßen angeben könnte. Deshalb: Augen aufhalten beim Umherstreifen!

Schließlich solltet ihr euer Glück auch auf den bekannten und daher nicht mehr ganz so billigen **Flohmärkten** versuchen:

Flohmarkt U-Bahnhof Nollendorfplatz, 30, Tel. 2 16 75 46, täglich außer Di 11-19 Uhr. Origineller Floh- und Antiquitätenmarkt auf dem stillgelegten Teil des U-Bahnhofs, nicht billig. Alte Waggons der U-Bahn dienen als Läden, Kneipe im Berliner Stil, kleines Zille-Museum (Eintritt).

Trödelmarkt Straße des 17. Juni (Nähe S-Bhf. Tiergarten), Sa, So 8-15.30 Uhr. Ein lebendiger Flohmarkt; Profis und Amateure bieten hier bei jedem Wetter ihre Sachen an. Treffpunkt interessanter, vielfach ein wenig ausgeflippter Leute. Wer früh kommt, hat natürlich eine reiche Auswahl an originellen Sachen.

Kreuzberger Krempelmarkt, Reichpietschufer (U-Bhf. Gleisdreieck), Sa, So 8-15.30 Uhr. Preiswerter Flohmarkt, viele Privatanbieter.

Die genannten Flohmärkte sind ganzjährig geöffnet. Daneben gibt es - tip und zitty z. B. informieren darüber - auch an verschiedenen anderen Stellen Flohmärkte, die jedoch nicht so regelmäßig stattfinden.

Buchhandlungen

Elwert & Meurer, 62, Hauptstr. 101 (Nähe Innsbrucker Platz), Tel. 78 40 01. Großbuchhandlung mit Fachbuchabteilungen, auch Schallplattensonderangebote.

Galerie 2000, 15, Knesebeckstr. 56 (Nähe Ku'damm), Tel. 8 83 84 67, Kunstbücher, Kunstkataloge, Fotobücher; auch fremdsprachige Veröffentlichungen in großer Auswahl.

Camilla Speth, 15, Ku'damm 38/39 (Nähe Knesebeckstr.), Tel. 881 15 45. Belletristik, Kunstbücher, Kunstpostkarten, auch kleine Galerie.

Kiepert, 12, Hardenbergstr. 4-5 (Ecke Schiller- und Knesebeckstr.), Tel. 3 11 00 90. Großbuchhandlung mit verschiedenen Spezialabteilungen: Landkarten, Taschenbuch, Wissenschaft.

Herder, 15, Kurfürstendamm 69 und Adenauerplatz, Tel. 8 83 50 01. Großes Angebot von Büchern und Schallplatten, sehr viele Sonderangebote.

Bücherbogen am Savignyplatz, 12, Stadtbahnbogen 593, Tel. 312 19 32. Architektur, Bildende Kunst, Film, Fotografie.

Marga Schoeller, 12, Knesebeckstr. 33-34 (Nähe Ku'damm), Tel.

8 81 11 12. Spezialitäten: Film, Theater, englischsprachige Literatur.

Librairie Française, 15, Ku'damm 211 (Ecke Uhlandstr.), Tel. 8 81 41 56. Französischsprachige Literatur, Schallplatten.

Buchladen am Savignyplatz, 12, Savignyplatz 5, Tel. 3 13 40 17. Viel linke und alternative Literatur, auch Zeitschriften.

Taschenbuchladen im Kaufhaus Wertheim, 15, Kurfürstendamm 231 (Erdgeschoß), Tel. 88 20 61. Große Auswahl an Taschenbüchern.

Ziegan, 30, Potsdamer Str. 180 (Nähe Pallasstr.), Tel. 2 16 20 68. Spezialbuchhandlung für Flora, Fauna.

Autorenbuchhandlung Berlin, 12, Carmerstr. 10 (am Savignyplatz), Tel. 31 01 51. Fachbuchhandlung für Literatur; große Auswahl moderner Lyrik.

Antiquariat Düwal, 12, Schlüterstr. 17 (Nähe Kantstr.), Tel. 3 13 30 30. Gut sortiertes Antiquariat.

Foto

In der Augsburger Straße nahe dem Ku'damm befinden sich einige Foto-Discount-Geschäfte: ein wenig Orient beim Kaufen, Handeln, Tauschen.

Foto Meyer, 30, Geisbergstr. 14 (Ecke Ansbacher Str.), Tel. 24 70 87. Günstiges Geschäft für Kameras, Zubehör, Dunkelkammerausrüstung. Junges, unkonventionelles Verkäuferteam.

Wiesenhavern, 15, Ku'damm 37 (Nähe Knesebeckstr.), Tel. 8 83 80 47. Spezialist für Spiegelreflexkameras, umfangreiche Abteilung für Dunkelkammer-Zubehör.

Wegert Technic-Center, 30, Potsdamer Str. 124 (Ecke Kurfürstenstr.), Tel. 25 00 20. Großes Fachgeschäft für Foto und Film, auch HiFi, Video und Computer.

Dunkelkammer, 12, Grolmanstr. 23 (am Savignyplatz), Tel. 31 68 24. Häufig günstige Angebote für Laborzubehör.

Foto-Klinke, 61, Köthener Str. 28 (Nähe Reichpietschufer), Tel. 261 12 21. Umfangreiches Dunkelkammer-Angebot.

Foto-Leisegang, 12, Kantstr. 138 (Nähe Schlüterstr.), Tel. 3 12 47 29. Auch gebrauchte Kameras, gute Beratung.

Galerien

In Berlin (West) gibt es rund 60 private Kunst-Galerien. Zählt man die Restaurant- und Kneipen-Galerien hinzu, so sind es noch viel mehr. Wenn man wissen will, welche Galerie was zeigt, so schaut man am besten in das vierteljährlich erscheinende "Berliner Kunstblatt" (DM 6,-), herausgegeben von der Interessengemeinschaft Berliner Kunsthändler (15, Ludwigkirchstr. 11a, Tel. 8 83 26 43). Auch das "Berlin-Programm", "tip", "zitty" und verschiedene andere Informationsschriften verschaffen euch einen

Einblick in die Kunstlandschaft. Dabei werdet ihr auch feststellen, daß manche Ausstellungen den Rahmen lediglich bildender Kunst durchaus sprengen. Grundsätzlich gilt: keine Schwellenangst! In keiner Galerie muß man etwas kaufen, und ansehen kostet ja nichts.

Hobby

Versandstelle für Postwertzeichen, 12, Goethestr. 2 (Nähe Steinplatz), Tel. 34 09 24 09, Mo, Di, Do, Fr 9-15.30 Uhr, Mi 9-18 Uhr, Sa 9-12 Uhr. Offizielle Ausgabe von Sonderbriefmarken und Sonderstempeln.

Das Spiel, 15, Ludwigkirchstr. 10 (Nähe Uhlandstr.), Tel. 881 31 54. Brett-, Würfel-, Kartenspiele usw.

Atzert-Radio, 30, Kleiststr. 32 (Nähe U-Bhf. Nollendorfplatz), Tel. 2 13 60 44. Paradies für Radiobastler.

Flug-Bufe, 12, Windscheidstr. 18 (S-Bhf. Charlottenburg), Tel. 3 23 10 60. Flug- und Schiffsmodelle, Fernsteuerungen.

Spiel-Vogel, 31, Uhlandstr. 137 (Ecke Hohenzollerndamm), Tel. 87 23 77. Modellbau, Modelleisenbahnen, auch sehr viel Spielzeug.

Vom Winde verweht, 62, Eisenacher Str. 81 (Nähe Grunewaldstr.), Tel. 7 84 77 69. Spezialist für Drachen und Drachensachen.

A-Z computershop, 61, Stresemannstr. 95, Tel. 2 61 11 64. Elektronik von A-Z, vielfach Sonderangebote.

Kunsthandwerk
Aus fernen Ländern

El Condor, 12, Kantstr. 36 (Nähe Leibnizstr.), Tel. 3 13 98 28. Südamerikanisches Kunsthandwerk.

Polka, 33, Königin-Luise-Str. 38 (Nähe U-Bhf. Dahlem-Dorf). Kunstgewerbe aus Polen.

Kelim & Kunsthandwerk, 12, Goethestr. 34 (Nähe Wilmersdorfer Str.), Tel. 3 13 96 51. Kunsthandwerk aus Polen, auch naive Kunst. Da gute Handarbeit, nicht ganz billig.

Dritte Welt Laden, 30, im neuen Turm der Gedächtniskirche (Tel. 8 32 54 97 für Kontakte). Gemeinnütziges Projekt für Waren aus Ländern der Dritten Welt. Viel Literatur über Probleme der Dritten Welt.

Indianische Volkskunst, 30, Budapester Str. 44 (an der Gedächtniskirche), Tel. 2 62 36 81. Schöne Handarbeiten aus Lateinamerika.

Keramik Angelika Matussek, 12, Knesebeckstr. 26 (Nähe Savignyplatz), Tel. 881 75 74. Ausgefallene Töpferarbeiten, Werkstattatmosphäre. Da Handarbeit, natürlich nicht ganz billig.

Berliner Zinnfiguren-Kabinett, 12, Knesebeckstr. 88 (am Savignyplatz), Tel. 31 08 02, Di-Fr 15-18 Uhr, Sa 10-13 Uhr. Weit über Berlin hinaus bekanntes Geschäft mit eigener Herstellung von schönen bemalten Zinnfiguren.

Mode, Kleidung

Berlin ist eine Stadt, die Mode macht und in der Mode gemacht wird. Ihr könnt euch davon in den vielen eleganten Modegeschäften und Boutiquen vor allem im City-Bereich ein Bild machen. Das gilt nicht nur für das weibliche Geschlecht. Schaut ruhig mal rein und probiert das eine oder andere Stück: doch bleibt äußerlich gefaßt, wenn ihr die Preise hört!

Ausgefallener, jugendlicher, aggressiver - und meist erschwinglicher: Läden mit Disco-, Shopping-, Underground-Mode, mit Mode für Freaks der 50er Jahre oder was sonst für die verschiedenen Szenen gerade angesagt ist. Vielleicht stoßt ihr auf Trends, die, als dieser Führer entstand, noch nicht zu erkennen waren.

Doch wir wollen nicht viel reden und erzählen. Wichtig ist es, sich selbst umzuschauen. Die teuren und exklusiven Modegeschäfte finden sich natürlich am Ku'damm und zum Teil in dessen Seitenstraßen. Hier wird's jedoch auch schon interessanter für junge Leute. Bummelzonen für jugendliche Modefreaks sind u. a.: die Bleibtreustraße (zwischen Ku'damm und Kantstr.) und die Ludwigkirchstraße (zwischen Uhlandstraße und Olivaer Platz). Schnell fündig werdet ihr sicherlich auch in den vielen kleinen Geschäften der Minicity am Tauentzien gleich neben dem Europa-Center und natürlich auch dort. Wer in den kleinen, meist persönlich gehaltenen Boutiquen entsprechend seinen besonderen Wünschen fragt, wird bald weitere Tips und Adressen erfahren. Ins Gespräch kommen mit den Ladenbesitzern, den Kunden, anderen jungen Leuten - so lernt man am wirkungsvollsten die Szenerie kennen.

Zum Abschluß noch zwei wirklich empfehlenswerte Second-Hand-Geschäfte für Kleidung mit großer Auswahl, gezahlt wird nach Gewicht:

Garage, 30, Ahornstr. 2 (Nähe Nollendorfplatz).

Made in Berlin, 30, Potsdamer Str. 106 (Nähe Kurfürstenstr.)

Musik, Schallplatten

Sound & Drumland, 15, Pariser Str. 9 (Ecke Fasanenstr.), Tel. 8 82 79 11. Alles für Rock-Musikgruppen mit Ambitionen.

Bote & Bock, 12, Hardenbergstr. 9a (Nähe Steinplatz), Tel. 31 10 03 12. Sehr gute Musikalienhandlung: Gitarren, Blockflöten, Orff-Instrumente, Bücher, Noten.

Musikhaus am Zoo, 30, Nürnberger Str. 24a (Nähe Tauentzienstr.), Tel. 2 11 64 26. Alle Musikinstrumente, auch Ankauf.

Musik-Kühn, 62, Hauptstr. 10 (Nähe U-Bhf. Kleistpark), Tel. 7 81 35 90. Große Auswahl an Instrumenten.

Musikalienhandlung Hans Riedel, 15, Uhlandstr. 38 (Nähe Lietzenburger Str.), Tel. 8 82 73 95. Sehr große Auswahl an Noten; gute Beratung. Auch Schallplatten.

WOM, 30, Augsburger Str. 36-42 (Näher Ku´damm), Tel. 8 82 75 41. Großes Schallplatten- und CD-Angebot.

Bote & Bock, 30, Europa-Center, Tel. 2 61 12 65. Sehr umfangreiches Schallplatten-Angebot: Klassik, Pop, Folklore, Chanson. Sehr gute Jazzabteilung mit guter Beratung.

Schallplatte am Ku'damm, 15, Ku'damm 29 (Nähe Uhlandstr.), Tel. 8 82 76 96. Klassik, Jazz, Pop und Rock - alles da; gute Beratung.

Zweitausendeins, 12, Kantstr. 41 (Ecke Leibnizstr.), Tel. 3 12 50 17. Günstige Schallplattenangebote bei nicht ganz so umfangreichem Angebot, auch Bücher.

Jazzcock, 10, Behaimstr. 10 (Nähe U-Bhf. Richard-Wagner-Platz), Tel. 3 41 54 47. Spezialist für Jazz und Blues, auch Second-Hand-Platten.

Canzone, 12, Savignyplatz 5, Tel. 3 12 40 27. Speziell Folklore aus Lateinamerika; große Auswahl an Tango-Platten.

Platten Pedro, 10, Tegeler Weg 100 (Nähe Mierendorffstr.), Tel. 3 44 18 75. Schallplattenantiquariat, eine gute Fundgrube.

Sport, Tramperbedarf

Tramper Shop, 31, Detmolder Straße 3 (U-Bhf. Bundesplatz), Tel. 8 53 35 99. Spezialgeschäft für Tramper und Globetrotter.

Ozone, 12, Knesebeckstr. 27 (Nähe Savignyplatz), Tel. 8 83 11 24. Artikel für Sport, Tanz, Ballett, Gymnastik.

Fahrradbüro Berlin, 62, Hauptstr. 146 (U-Bhf. Kleistpark), Tel. 7 84 55 62. Spezialgeschäft für "alternative Radler".

Georg Bannat, 15, Lietzenburger Straße 65 (Nähe Fasanenstr.), Tel. 8 82 76 01. Spezialist für Globetrotter.

Alles für Tramper, 41, Bundesallee 88 (Nähe Walther-Schreiber-Platz), Tel. 8 51 80 69. AFT führt seinen Namen weitgehend zu Recht.

Nordlicht, 45, Ferdinandstr. 4 (Nähe Kranoldplatz), Tel. 772 66 46. Falt-, Paddelbote und alles Zubehör. Angeschlossen die Kanuschule Berlin, die Naturerlebnisfahrten organisiert.

Scout, 41, Robert-Lück-Str. 1 (Nähe S-Bhf. Steglitz), Tel. 7 91 43 90. Camping- und Wanderausrüstung, Artikel für Pfadfinder.

Sport, Freizeit und Erholung

Seid ihr selbst in einem Sportverein und sucht Kontakt zu einem entsprechenden Partnerverband in Berlin? Keine schlechte Idee, denn gleichzeitig lassen sich so auch Kontakte zu jungen Berlinern knüpfen. In jedem Fall hilft auch der **Landessportbund** weiter, der auch die Adressen der verschiedenen Sportverbände angeben kann, oder ihr besorgt euch den von ihm herausgegebenen **Freizeitsportkalender;** dieser ist auch in großen Sportgeschäften erhältlich:

Landessportbund Berlin e. V.
Jesse-Owens-Allee 1-2, 1000 Berlin 19, Tel. 30 00 20
Sportjugend Berlin
Jesse-Owens-Allee 1-2, 1000 Berlin 19, Tel. 30 00 20

Bootsverleih
Tret-, Paddel- und Ruderboote:
Schildhorn, an der Jürgen-Lanke
An der Sechserbrücke, Tegel
Bootsverleih Tegelort, Barschelplatz
Im Strandbad Wannsee, separater Eingang
Am Neuen See im Tiergarten
Am Plötzensee
Im Volkspark Jungfernheide

Berlin besitzt herrliche Wassersportmöglichkeiten. Solltet ihr deshalb auch an einem **Motor- oder Segelsportverleih** interessiert sein, so schaut im Branchen-Fernsprechbuch unter dem Stichwort "Bootsverleih" nach.

Bowling
Berliner Kindl-Bowling
19, Kaiserdamm 80/81,
Tel. 3 02 70 94/95
Berolina
30, Kleiststr. 3-6, Tel. 24 30 88
Bowling am Kurfürstendamm

31, Kurfürstendamm 156,
Tel. 8 92 50 30
Bowling- und Kegel-Center im Forum Steglitz
41, Schloßstr./Ecke Bornstr.,
Tel. 7 91 10 61

Fahrradverleih/Tretmobile
Tandem- und Fahrradverleih am S-Bahnhof Grunewald, Tel. 8 11 58 29, am Wochenende; in der Woche bitte vorher telefonisch anmelden.

Fahrradbüro Berlin, 62, Hauptstr. 146, Tel. 7 84 55 62. Weitere Verleihstellen im Berlin-Atlas für Fahrradfahrer, den das Fahrradbüro herausgibt. Pflichtlektüre für alle, die Berlin mit dem Fahrrad entdecken wollen.

Kunsteis- und Rollschuhbahnen
Vielleicht im Winter Schlittschuhlaufen? Der Senator für Schulwesen, Berufsausbildung und Sport - VI A 31 - 1000 Berlin 30, Kleiststr. 23-26, Tel. 21 22 21 72 gibt eine kleine **Liste der Kunsteisbahnen** mit Öffnungszeiten heraus.

Oder wollt ihr **Rollschuhlaufen?** Möglich ist dies z. B. in 33 (Wilmersdorf), Fritz-Wildung-Str. 9, Tel. 8 24 10 12.

Reiten
Reiten durch Berlins Wälder? Vielleicht etwas ausgefallen, dieser Wunsch, doch durchaus realisierbar. Das Stichwort "Reitunterricht" im Branchen-Fernsprechbuch hilft da sicherlich weiter.

Freibäder
Im folgenden eine Auswahl von Bädern, die verkehrsgünstig liegen oder wegen ihrer Beschaffenheit sehr beliebt und bekannt sind:

Olympia-Schwimmstadion
19, Olympischer Platz, Tel. 3 04 06 76

Strandbad Wannsee
38, Wannseebadweg, Tel. 8 03 54 50

Sommerbad Neukölln
61, Columbiadamm 160,
Tel. 68 09 27 75

Sommerbad Poststation
21, Lehrter Str. 59, Tel. 39 05 27 74

Freibad Halensee
33, Koenigsallee 5a, Tel. 8 91 17 03

Sommerbad Kreuzberg
61, Gitschiner Str. 18-31,
Tel. 25 88 31 95

Sommerbad am Insulaner
41, Munsterdamm 80,
Tel. 79 04 24 32

Sommerbad Wilmersdorf
33, Forckenbeckstr. 14,
Tel. 86 89-5 31

Hallenbäder
Die hier aufgeführten Bäder - eine Liste der städtischen Bäder gibt der Senator für Schulwesen, Berufsausbildung und Sport - VIII B 32 - 1000 Berlin 30, Kleiststr. 23-26, Tel. 21 22 21 74, heraus - verfügen auch über Zusatzeinrichtungen wie Saunen, Solarien, Bräunungs- oder Reinigungsbäder. Öffnungszeiten am besten telefonisch erfragen.

Stadtbad Wilmersdorf
31, Mecklenburgische Str. 80,
Tel. 8 68 95 23

Sport- und Lehrschwimmanstalt Schöneberg
62, Sachsendamm 11, Tel. 7 83 30 03

Stadtbad Lankwitz
46, Leonorenstr. 39, Tel. 79 04 24 41

Kombiniertes Bad Seestraße
65, Seestr. 80, Tel. 457-39 60

Stadtbad Charlottenburg
10, Krumme Str. 6a-8,
Tel. 34 30 32 41

Stadtbad Tiergarten
21, Seydlitzstr. 7, Tel. 39 05 40 11

Stadtbad Zehlendorf
37, Clayallee 328-334, Tel. 8 07 27 77

blub
47, Buschkrugallee 64 (U-Bhf. Grenzallee), Tel. 6 06 60 60, Mo-Do 10-23

Uhr, Fr 10-24 Uhr, Sa 9-24 Uhr, So 9-23 Uhr. Vielseitige Wasserfreizeitanlage mit Wellenbad, riesiger Wasserrutsche, Meerwasserbecken, Saunagarten. Im Sommer auch Freianlage. Hoher Eintritt, doch es lohnt sich.

Saunabäder
Neben den Saunabädern in den Städtischen Hallenbädern gibt es eine Reihe privater Saunabäder; meist gute Ausstattung, doch recht teuer inzwischen. Das Stichwort "Saunabäder" im Branchen-Fernsprechbuch nennt die Adressen und Telefonnummern.

Parks und Freizeitanlagen
Verschiedene Parks und Freizeitanlagen bieten Einrichtungen für Freizeitaktivitäten wie z. B. Trimm-Dich-Pfade, Spielplätze, Liegewiesen, Tiergehege, Rodelbahnen, Naturlehrpfade, Grillplätze usw.

Tiergarten
Größter Park im City-Bereich

Schloßpark Charlottenburg
(hinter dem Schloß Charlottenburg) Zugang: u. a. vom Spandauer Damm

Volkspark Glienicke
(im äußersten Südwesten) Schöner Landschaftspark mit historischen Bauten. Zugang: u. a. von der Königstr.

Pfaueninsel
Im Südwesten Berlins, Fährverbindung. Historische Bauten und herrliche Baumbestände machen Spaziergänge lohnend.

Der Insulaner
(im Süden von Schöneberg) Zugang: u. a. vom Preller Weg und Munsterdamm

Lietzensee
(in Charlottenburg) Idyllisch gelegener See mit schöner Parkanlage.

Körnerpark
(in Neukölln) Hübscher kleiner Park inmitten des Häusermeeres.

Freizeitpark Tegel
Moderne Freizeitanlage im Norden Berlins. Zugang: u. a. von der Greenwichpromenade.

Vereine, Verbände etc.

Wer Anschluß an Berliner Jugendliche sucht und sich nicht unbedingt auf zufällige "Kneipen-Bekanntschaften" verlassen möchte, hat die Möglichkeit, sich einem der Berliner Jugendverbände anzuschließen, der vielleicht auch eine Geschäftsstelle in seinem Heimatort hat.

Für allgemeine Informationen über die Arbeit der Jugendverbände in Berlin bietet sich der Landesjugendring Berlin an. Der **Landesjugendring** ist auch Herausgeber der Monatszeitschrift "Blickpunkt", in der u. a. über Jugendarbeit in Berlin berichtet wird.

Der Ansprechpartner für politische Jugendverbände ist der **Ring politischer Jugend.**

Auch die freien Wohlfahrtsverbände verfügen über Unterorganisationen für die Betreuung Jugendlicher oder können entsprechende Kontakte vermitteln.

Eine weitere Möglichkeit bieten die Jugendfreizeitstätten und Jugendzentren, über deren Veranstaltungen man sich telefonisch informieren kann.

Jugendverbände

Landesjugendring Berlin
30, Münchener Str. 24, Tel. 2 11 82 64
Dachverband verschiedener Jugendverbände, Herausgeber der Zeitschrift "Blickpunkt".
Ring Politischer Jugend e. V.
31, Ku'damm 96, Tel. 3 23 20 11
DGB-Gewerkschaftsjugend
30, Keithstr. 1, Tel. 2 19 11 27
DAG-Gewerkschaftsjugend
31, Blissestr. 2-6, Tel. 82 96-1
Sozialistische Jugend Deutschlands, Die Falken
Landesverband Berlin

61, Prinzessinnenstr. 16
Tel. 6 14 70 06
Deutsche Beamtenbund-Jugend
Landesbund Berlin 15, Kurfürstendamm 65, Tel. 8 81 20 81
Bund Deutscher Pfadfinder e. V.
31, Kaubstr. 9, Tel. 8 61 13 11
Junge Union (CDU)
30, Lietzenburger Str. 46
Tel. 2 11 60 11
Jungsozialisten (SPD)
65, Müllerstr. 163, Tel. 4 69 21 32
Junge Liberale (F.D.P.)
33, Im Dol 2-6 Tel. 8 31 30 71
Deutsche Jungdemokraten
30, Bülowstr. 65, Tel. 2 16 23 46
Evangelische Jugend
12, Goethestr. 26-30, Tel. 3 19 11

Bund der Deutschen Katholischen Jugend
19, Witzlebenstr. 30, Tel. 3 20 06-237
Naturfreundejugend
45, Ringstr. 76, Tel. 8 33 50 30
Komba-Jugend Berlin
Landesleitung, 31, Uhlandstr. 137
Tel. 86 01 46
Internationaler christlicher Jugendaustausch
Geschäftsstelle, 12, Goethestr. 85
Tel. 3 13 70 46
Deutsch-Britischer-Jugendaustausch e. V.
12, Uhlandstr. 7-8, Tel. 31 04 81
Deutscher Pfadfinderbund
Landesamt Berlin, 27, Moorweg 106a
Tel. 4 33 29 52
Christlicher Verein junger Menschen Berlin
30, Einemstr. 10, Tel. 2 61 37 91
Jugendwerk der Evangelischen Freikirchen
62, Hauptstr. 126, Tel. 782 01 15
Deutscher Alpenverein
Sektion Berlin e. V., 62, Hauptstr. 23-24
Tel. 7 81 49 30
Deutsches Jugendrotkreuz
Landesverband Berlin
33, Koenigsallee 64, Tel. 8 25 61 24
Deutsche Schreberjugend
Landesgruppe Berlin e. V.
19, Kirschenalle 25, Tel. 3 05 60 57
DJO - Deutsche Jugend in Europa
Landesverband Berlin e. V.
61, Stresemannstr. 90-102
Tel. 2 61 10 46
Berliner Sängerbund
15, Kurfürstendamm 237
Tel. 8 83 16 97
Internationale Jugendgemeinschaftsdienste e. V.
42, Tempelhofer Damm 2
Tel. 7 85 20 48

Junge Briefmarkenfreunde Berlin e. V.
49, Angermünder Str. 25a (Herr Beck)
Tel. 7 45 86 73
Jüdische Gemeinde zu Berlin
Abteilung Jugendförderung
15, Joachimstaler Str. 13
Tel. 88 42 03 26 (Herr Oehlsner)
Junge Europäische Föderalisten
15, Lietzenburger Str. 91
Tel. 8 83 13 04

Studentenverbände

Arbeitskreis Berliner Studenten
42, Tempelhofer Damm 2
Tel. 7 85 20 63
Jüdische Studentenvereinigung in Berlin
12, Fasanenstr. 79, Tel. 8 84 20 30
Katholische Studentinnen- und Studentengemeinde Berlin
21, Klopstockstr. 31, Tel. 391 75 70
Evangelische Studentengemeinde
12, Carmerstr. 11, Tel. 3 13 90 01 und
33, Gelfertstr. 45, Tel. 8 31 30 18
Ring christlich-demokratischer Studenten
31, Holsteinische Str. 3, Tel. 861 91 23
Hochschulgruppe der Jungsozialisten
65, Müllerstr. 163, Tel. 4 69 21 32

Jugendfreizeitheime, Jugendclubs, Jugendzentren

Freizeittips für Jugendliche bis ungefähr 18 Jahren werden in der Broschüre "Wo ist was los? Tips für junge Leu-

te" (erhältlich beim Senator für Jugend und Familie, III B 12, 30, Am Karlsbad 8-10, Tel. 26 04 25 84) gegeben. Das Heft nennt vor allem Jugendfreizeitheime, -clubs und -zentren der Bezirksämter und verschiedener Jugendverbände, Wohlfahrtsverbände, Initiativgruppen und der Kirchen. Man erfährt z. B., was für Freizeitangebote die Häuser machen.

Beratungsstellen

Konflikt- und Bildungsberatung
61, Prinzessinnenstr. 16
Tel. 6 14 80 21
Kontakt- und Beratungsstelle
30, Kaiser-Wilhelm-Platz 1,
Tel. 7 84 40 46/47
Mondo X (Jugendberatung)
12, Jebensstr. 1, Aufgang 1
Tel. 3 13 60 21
Landesstelle Berlin gegen Suchtgefahren
(Alkoholkranken-Beratung)
10, Gierkezeile 39, Tel. 341 85 39
Pro Familia
Deutsche Gesellschaft für Sexualberatung und Familienplanung e. V.
30, Ansbacher Str. 11,
Tel. 2 13 90 13
Jugendnotdienst
10, Mindener Str. 14
Tel. 34 40 26
Berliner AIDS-Hilfe e.V., 15, Meinekestr. 12, Tel. 883 30 17, telef. Beratung Tag und Nacht über 1 94 11
Landesinstitut für Tropenmedizin Berlin, Sondereinheit AIDS des Senators für Gesundheit und Soziales, 19, Königin-Elisabeth-Str. 32-42, Tel. 3 02 60 31

Drogen
In Berlin gibt es eine große Anzahl Drogenabhängiger. Die Wahrscheinlich-keit, als Gast in Berlin ungewollt mit Drogen in Berührung zu kommen, ist jedoch nach allen vorliegenden Erfahrungen äußerst gering. Zu bemerken ist, daß das Drogenproblem in Berlin öffentlich und recht sachlich behandelt wird und die staatlichen Einrichtungen mit den freien, kirchlichen und anderen Hilfsangeboten sowie Selbsthilfegruppen Formen der Zusammenarbeit gefunden haben. Informationen (Adressen von Drogenberatungsstellen, Informationsschriften) erhaltet ihr beim **Drogenbeauftragten des Senats,** erreichbar unter: Senator für Jugend und Familie, 30, Am Karlsbad 8, Tel. 26 04-25 73

Wohlfahrtsverbände

Arbeiterwohlfahrt der Stadt Berlin e. V.
61, Hallesches Ufer 32-38, Tel. 25 92-1
Caritasverband für Berlin e. V.
31, Tübinger Str. 5, Tel. 85 04-0
Deutscher Paritätischer Wohlfahrtsverband
Landesverband Berlin e. V.
31, Brandenburgische Str. 80,
Tel. 8 60 01-0
Deutsches Rotes Kreuz
Landesverband Berlin
41, Bundesallee 73, Tel. 8 58-1
Diakonisches Werk
41, Paulsenstr. 55-56, Tel. 82 09 70
Jugendsozialwerk e. V.
Internationaler Bund für Sozialarbeit
Landesverband Berlin
31, Bundesallee 57/58, Tel. 8 53 80 01
Arbeiter-Samariter-Bund
Landesverband Berlin e. V.
30, Bülowstr. 6, Tel. 2 16 50 21

Andere Verbände, Vereine und Gruppen

Deutsche Gesellschaft für die Vereinten Nationen
Landesverband Berlin
30, Am Karlsbad 4-5, Tel. 261 91 19
Deutsches Komitee für UNICEF
Arbeitsgruppe Berlin, 19, Spandauer
Damm 61-63, Tel. 3 21 70 88
UNICEF ist das Kinderhilfswerk der
Vereinten Nationen
amnesty international
Bezirk Berlin (West)
33, Pacelliallee 61, Tel. 8 31 10 46
Menschenrechtsorganisation für politi-
sche Gefangene, auch Asylberatung
Frauenzentrum
61, Stresemannstr. 40, Tel. 2 51 09 12
**Internationale Liga für Men-
schenrechte**
Sektion Berlin e. V.
12, Mommsenstr. 27, Tel. 3 24 36 88
Aktionszentrum Umweltschutz
19, Theodor-Heuss-Platz 7,
Tel. 3 01 56 44
Ökowerk Teufelssee
33, Teufelsseechaussee 22,
Tel. 3 05 20 41, ein ehemaliges Was-
serwerk, Treffpunkt verschiedener Na-
tur- und Umweltschutzorganisationen.
**LBU - Landesverband Bürger-
initiativen Umweltschutz Berlin**
62, Cheruskerstr. 10,
Kontakt:Tel. 211 42 73 (Herr Herr-
mann), 781 98 76 (Herr Schott)
**Deutscher Bund für Vogel-
schutz,** 28, Lotosweg 58, Tel.
404 90 00
Terre des Hommes
10, Richard-Wagner-Str. 25
Tel. 3 41 10 58
Hilfe für Kinder in Not

Aktion Sühnezeichen
Friedensdienste e. V.
12, Jebensstr. 1, Tel. 31 02 61
Humanistische Union
62, Kufsteiner Str. 12, Tel. 8 54 41 97
Christliches Jugenddorf Berlin
21, Huttenstr. 20, Tel. 3 46 00 60
**Berliner Arbeitskreis gegen
Tierversuche e. V.**
Geschäftsstelle: 12, Bismarckstr. 3-4,
Tel. 3 41 80 43, Mo-Fr 17-19 Uhr.
Es besteht auch eine Schülergruppe.
**Kommunikations- und Bera-
tungszentrum homosexueller
Frauen und Männer e. V.**
61, Hollmannstr. 21, Tel. Frauen
2 51 05 32; Männer 2 51 05 31
**BAZ - Bildungs- und Aktions-
zentrum Dritte Welt Berlin e. V.**
61, Oranienstr. 159, Tel. 6 14 50 98
Verschiedene Dritte-Welt-Gruppen ha-
ben hier ihren Sitz. Di-Fr ab 16 Uhr auch
Café.
**Aktionsgemeinschaft Solidari-
sche Welt e.V.**
61, Hedemannstraße 14, Tel. 251 02 65
**Friedenszentrum Martin Nie-
möller Haus e. V.**
33, Pacelliallee 61, Tel. 8 32 68 01
Bürozeiten: Mo-Fr 17-19 Uhr
Treffpunkt und Informationszentrum
zum Thema Frieden, Menschenrechte,
Dritte Welt. Kleines Café, Mo-Fr 18-22
Uhr. Sitz u. a. von amnesty international, Frauen für den Frieden - Zehlendorf, Gruppe "Ohne Rüstung leben",
Deutsche Friedensgesellschaft/Ver-
einigte Kriegsdienstgegner e. V., Drit-
te-Welt-Laden.
Adressen von **Behindertenverbän-
den und Selbsthilfegruppen** - insbesondere die beiden Broschüren
"Berlin-Stadtführer für Behinderte" und
"Hilfe durch Selbsthilfe - Ein Wegwei-
ser" - erhaltet ihr beim Landesbeauf-
tragten für Behinderte, 31, Sächsische
Str. 30, Tel. 867 65 45 und 867 65 97.

Stadtlexikon von A-Z

Abgeordnetenhaus
Die Volksvertretung von Berlin (West), die ihren provisorischen Sitz im Rathaus Schöneberg hat. Die Mitglieder des Abgeordnetenhauses werden jeweils für vier Jahre gewählt. Sie wählen den Regierenden Bürgermeister und die Senatoren. Teilnahme an Plenarsitzungen, Führungen mit Multivisionsschau über: Referat Öffentlichkeitsarbeit des Abgeordnetenhauses von Berlin, Besucherdienst, Rathaus Schöneberg, 1000 Berlin 62, Tel. 7 83 80 47.

Akademie der Künste
Am Hanseatenweg im Hansaviertel, U-Bhf. Hansaplatz. Der Neubau wurde 1960 eingeweiht. Davor eine Bronzeplastik von Henry Moore: "Die Liegende". In der Akademie finden regelmäßig interessante kulturelle Veranstaltungen und Ausstellungen statt.

Amerika-Gedenkbibliothek
Am Blücherplatz im Bezirk Kreuzberg, U-Bhf. Hallesches Tor. Errichtet zur Erinnerung an den Blockadewinter 1948/49 mit einer Spende des amerikanischen Volkes. Gemessen an ihren Ausleihzahlen die größte deutsche Bibliothek. Literatur aller Wissensgebiete, umfangreiche Sammlung von Berlin-Literatur.

Amerika-Haus
Zweigeschossiger kubischer Bau in der Hardenbergstraße, gleich hinter dem Bahnhof Zoo. Gedacht als Informationszentrum über die Vereinigten Staaten und als Stätte der Begegnung zur Vertiefung der deutsch-amerikanischen Beziehungen mit Bibliotheks-, Lese-, Ausstellungs- und Vortragsräumen.

Anhalter Bahnhof
Einst der belebteste und beliebteste Bahnhof der Reichshauptstadt. Berlins Tor zum Süden. Erbaut 1875-1880 von Franz Schwechten und Heinrich Seidel. Im Krieg wurde der "Anhalter" schwer beschädigt. Bis 1952 verkehrten noch Züge, dann war Schluß. Einige Jahre später wurde der imposante Bau gesprengt. Von der Hauptfassade steht noch ein Rest, eine Ruine in einer ruinösen Stadtlandschaft am Askanischen Platz in Kreuzberg (Busse 24, 29).

Aquarium
Eingang Budapester Straße oder vom Zoogelände aus (täglich 9-18 Uhr). Das Gebäude wurde 1913 eingeweiht und 1952, nach Behebung der Kriegsschäden, wieder eröffnet und kürzlich stark erweitert. In den drei Stockwerken des Aquariums findet man jede Menge Fische, Schlangen, Schildkröten, Insekten, Krokodile und ähnliches hierhin passendes Getier. Ein Besuch ist in jedem Falle lohnend.

Avus
Abkürzung für "Automobil-, Verkehrs- und Übungsstraße". 1921 als erste Autorennstrecke in Deutschland eröffnet. Der Rundenrekord wurde von Bernd Rosemeyer mit 276 km/h aufgestellt. Auf der Geraden erreichte Rudolf Caracciola fast 400 km/h. Heute wird die Avus vor allem als Verbindung zum Kontrollpunkt Dreilinden genutzt.

Bahnhof Zoo
Der Bahnhof Zoologischer Garten, wie er korrekt heißt, ist West-Berlins "Hauptbahnhof", mit zwei Bahnsteigen und vier Gleisen, unterstellt der Deutschen Reichsbahn, die für den Fernverkehr zuständig ist; die Betriebsrechte für die S-Bahn hat seit 1984 die BVG.

Berliner Bär

Das Berliner Wappentier seit dem 13. Jahrhundert. Landeswappen und Landesfahne zeigen den Bären in Schwarz mit roter Zunge und roten Krallen. Lebende Bären sind im Zoo zu besichtigen.

Botanischer Garten

Angelegt 1897-1903 in Dahlem, einer der reichhaltigsten Botanischen Gärten Europas. Hervorzuheben sind die auf künstlichen Hügeln angelegte pflanzen-geographische Abteilung, die zahlreichen Schauhäuser und das - auch architektonisch interessante - riesige Tropenhaus. Eingänge in Dahlem: Königin-Luise-Str. 6-8, und in Lichterfelde: Unter den Eichen 5-37 (Öffnungszeiten: tägl. Mai-Sept. 9-20 Uhr, Nov.-Febr. 9-16 Uhr, März, April, Okt. 9-18 Uhr, Busse 1, 17, 48).

Brandenburger Tor

Ein Bauwerk mit hohem Symbolgehalt, jenseits der Mauer auf Ost-Berliner Gebiet, greifbar nahe und doch von beiden Seiten her unzugänglich. Errichtet 1788-1791 von Carl Gotthard Langhans nach dem Vorbild der Propyläen in Athen. Die Quadriga, das kupfergetriebene Viergespann der Siegesgöttin Viktoria, wurde von Gottfried Schadow geschaffen (Busse 48, 69, 83, jeweils ein Fußweg).

Bundeshaus

Das Bundeshaus, an der Bundesallee gelegen, dient als Sitz des Bevollmächtigten der Bundesregierung in Berlin. Es ist sichtbarer Ausdruck der vielfältigen Bindungen der Stadt an den Bund.

Checkpoint Charlie

Seit August 1961 Übergangsstelle für Ausländer, Diplomaten und Alliierte Militärpersonen nach Berlin (Ost), an der Friedrichstr./Ecke Zimmerstr. in Kreuzberg, U-Bhf. Kochstraße. Im "Haus am Checkpoint Charlie" eine interessante Ausstellung über den Bau der Mauer, über Fluchtwege und Fluchtmittel und über die "Bewältigung" der Mauer in der Malerei.

Corbusier-Haus

Nach Entwürfen des berühmten Architekten Le Corbusier 1956-1958 in der Nähe des Olympiastadions erbaut. Das Haus ist 135 m lang, 17 Stockwerke hoch und umfaßt 530 Wohnungen.

Deutsche Oper Berlin

Das von Fritz Bornemann an der Bismarckstraße in Charlottenburg erbaute moderne Opernhaus - auf dem Grund der ehemaligen Städtischen Oper - wurde 1961 eröffnet. Die Deutsche Oper gehört zu den wichtigen großen Opernhäusern der Welt.

Deutschlandhalle

Große Halle am Rande des Messegeländes. Vom Sechstagerennen bis zum Rockkonzert, hier findet nahezu alles statt. Die Halle bietet rund 12 000 Menschen Platz.

Englischer Garten

Am Rande des Tiergartens, früher Teil des zum Schloß Bellevue gehörenden Parks. Im März 1952 eingeweiht durch den damaligen britischen Außenminister Anthony Eden. Königin Elisabeth II. pflanzte hier eigenhändig eine Eiche (U-Bhf. Hansaplatz).

Ernst-Reuter-Platz

Eine große ovale Platzanlage in Charlottenburg mit Wasserbecken und Fontänen in der Mitte, durch Fußgängertunnel zu erreichen. Drumherum Bürohochhäuser. Ernst Reuter war der erste Bürgermeister von Berlin (West) nach dem Krieg.

Europa-Center

Ein Wahrzeichen des modernen Berlin, errichtet an der Tauentzienstraße. Vom Dach des Hochhauses ein ausgezeichneter Blick über die Stadt, hochzufahren lohnt sich. Im Europa-Center auch eine Menge Läden, Restaurants und Pinten und die Berliner Spielbank.

Interessant auch: das Terrassenre-staurant "Tiffany's", die "Wasseruhr" und die Farbbildprojektion "Multivision Berlin".

Flughafen Tegel-Otto Lilienthal
Einer der modernsten Flughäfen Europas, eröffnet am 1. September 1975. Seitdem wird hier fast der gesamte zivile Luftverkehr von und nach Berlin (West) abgewickelt. Die Geschichte des Tegeler Flugfeldes begann schon viel früher. 1930 Raketenflugplatz, auf dem Rudolf Nebel, Hermann Oberth und Wernher von Braun ihre Versuche machten.

Flughafen Tempelhof
Aus dem ehemaligen Tempelhofer Feld (Paradefeld der Kaiserzeit) wurde der Berliner Zentralflughafen. 1908 fand hier der erste Flug der Gebrüder Wright statt. Die heutige Anlage entstand in den 30er Jahren. Heute amerikanischer Militärflughafen, in geringem Umfang auch Zivilflughafen.

Freie Universität
Gegründet im Jahr 1948, als der politische Druck auf Professoren und Studenten an der im Ostteil gelegenen Humboldt-Universität immer größer wurde. 1952 Grundsteinlegung für den Henry-Ford-Bau mit dem Auditorium maximum. In den 60er Jahren ging von der FU die deutsche Studentenbewegung aus, hier wurden zum erstenmal "Sit-ins" und "Teach-ins" geprobt. Die FU wurde zur ersten deutschen Reformuniversität. Die verschiedenen Institute und Fachbereiche sind über ganz Dahlem verstreut.

Freiheitsglocke
Am 24. Oktober 1950, dem Tag der Vereinten Nationen, von General Clay den Berlinern übergeben. Die Kosten für die Glocke brachten 17 Millionen Amerikaner auf. Sie hängt im Turm des Rathauses Schöneberg und läutet täglich um 12 Uhr.

Funkturm
Ein Wahrzeichen der Stadt und ein Lieblingskind der Berliner, im Volksmund "Langer Lulatsch" genannt. Der 138 Meter hohe, schlanke Stahlgitterbau mit Restaurant und Aussichtsplattform wurde 1926 feierlich eingeweiht. Es lohnt sich auf jeden Fall, mit dem Lift hochzufahren (Aufzug täglich 10-24 Uhr, U-Bhf. Kaiserdamm, Busse 4, 10, 69, 94).

Gedenkstätten
Zur Erinnerung an die Opfer des Widerstandes gegen die nationalsozialistische Herrschaft wurde 1952 in der ehemaligen Hinrichtungsstätte der Strafanstalt Plötzensee eine Gedenkstätte geschaffen. In Plötzensee wurden mehr als 2500 Menschen hingerichtet. Nicht weit von der Gedenkstätte Plötzensee entfernt, am Heckerdamm, wurde die kath. Kirche "Maria Regina Martyrum" errichtet zu Ehren der Blutzeugen für Glaubens- und Gewissensfreiheit in der Zeit des Nationalsozialismus. Der große Innenhof der Anlage, umgeben von einer hohen Betonmauer, erinnert an einen Gefängnishof oder an ein Konzentrationslager.
Ein Ort der Erinnerung an den Widerstand ist auch der sogenannte Bendler-Block, im Bezirk Tiergarten; Im Kriege Sitz des Oberkommandos des Heeres und des Ersatzheeres. Hier formierte sich der militärische Widerstand gegen Hitler. Eine der maßgeblichen Personen war Oberst Claus Graf von Stauffenberg, der am 20. Juli 1944 das mißglückte Attentat auf Hitler verübte. Noch in der Nacht des 20. Juli 1944 wurden im heutigen Ehrenhof Stauffenberg, Olbricht, von Quirnheim und von Haeften wegen ihrer Beteiligung an den Attentatsplänen erschossen.
Im Jahr 1968 wurde im "Bendler-Block" eine Gedenk- und Bildungsstätte eröffnet. Nach größeren Umbauten wurde

hier in den letzten Jahren in erheblich erweitertem Umfang die "Gedenkstätte Deutscher Widerstand" eingerichtet, die einen umfassenden Überblick zum Thema gibt. Die dazugehörigen Film- und Vortragsräume stehen für Veranstaltungen zur Verfügung.

1. Gedenkstätte Deutscher Widerstand
30, Stauffenbergstr. 14, Tel. 26 04 22 02
2. Gedenkstätte Plötzensee
13, Hüttigpfad
3. "Maria Regina Martyrum"
13, Heckerdamm 230-232

Glienicker Brücke
Verbindet über die Havel Berlin mit Potsdam. Im Krieg zerstört, wurde sie von östlicher Seite wieder hergestellt und danach in "Brücke der Einheit" umbenannt. Über die Mitte der Brücke verläuft die Grenze der DDR.

Gropiusstadt
Neubausiedlung im Bezirk Neukölln in den Ortsteilen Buckow und Rudow. Nach den Plänen von Walter Gropius entstand diese Trabantenstadt, mit einem der höchsten Wohnhäuser Deutschlands, mit Schulen, Einkaufszentren, Kirchen, Sportplätzen usw. Insgesamt wohnen hier 50 000 Menschen.

Grunewald
Berlins größtes zusammenhängendes Waldgebiet. Der Name bezog sich ursprünglich nur auf das durch Kurfürst Joachim II. 1542 erbaute Jagdschloß "Zum grünen Walde". Das Waldgebiet selber wurde "Teltowische Heide" genannt. Mit seinen Seen und dem Havelufer ein sehr beliebtes Ausflugsziel der Berliner.

Grunewaldturm
Aussichtsturm (tägl. ab 10 Uhr bis Einbruch der Dunkelheit, im Winter geschlossen) an der Havelchaussee im Grunewald, 56 Meter hoch, errichtet 1897 durch Franz Schwechten (dersel-

be, der die Kaiser-Wilhelm-Gedächtniskirche und den Anhalter Bahnhof entwarf). Man hat von oben einen herrlichen Blick über die Havellandschaft.

Hamburger Bahnhof
Ältester Bahnhofsbau Berlins, 1845 bis 1847 als Kopfbahnhof errichtet, 1884 stillgelegt und später als Verkehrs- und Baumuseum benutzt. Das Gebäude liegt auf einem Grundstück am Grenzübergang Invalidenstraße (S-Bhf. Lehrter Bahnhof). Seit Anfang 1984 steht das Gebäude unter der Verwaltung des Berliner Senats. Es ist der Öffentlichkeit wieder zugänglich gemacht worden im Rahmen großer Ausstellungen zeitgenössischer Kunst.

Hansaviertel
Ein vor der Jahrhundertwende entstandenes Wohnviertel am Rande des Tiergartens. Im Zweiten Weltkrieg fast völlig zerstört. Am Wiederaufbau beteiligten sich viele namhafte deutsche und ausländische Architekten. 1957 war das Hansaviertel Mittelpunkt der Internationalen Bauausstellung. Es findet heute noch großes Interesse. Zwischen den Hochhäusern verstreut liegen u. a. die Akademie der Künste, das Kinder- und Jugendtheater "Grips", die evangelische Kaiser-Friedrich-Gedächtniskirche und die katholische St. Ansgar-Kirche.

Hochschule der Künste
Sie besteht seit 1975 und ging hervor aus der Hochschule für bildende Künste und der Hochschule für Musik. Die Gebäude befinden sich an der Hardenbergstraße und sind in einer Art Neubarock gebaut. Ihren Ursprung hat die Hochschule in der Akademie der Künste, die 1696 durch Kurfürst Friedrich III. gegründet wurde.

Humboldthöhe
Ein durch die Zuschüttung eines Hochbunkers entstandener Berg im Bezirk

Wedding, Höhe 85 Meter. Von der Aussichtsplattform ein guter Rundblick.

Insulaner

Ein im südlichen Teil von Schöneberg aus Trümmerschutt aufgeschütteter, 75 Meter hoher Berg mit Parkanlagen und einem Sommerbad. Auf dem Insulaner steht seit 1963 die Wilhelm-Foerster-Sternwarte, am Fuß des Insulaners das Planetarium.

Internationales Congress Centrum Berlin

Haupteingang: 19, Neue Kantstr., Tel. 30 38-1; Führungen nach Anmeldung möglich. Das ICC Berlin, unmittelbar neben dem Messegelände am Funkturm, wurde im April 1979 eingeweiht. Ein riesiger Kongreßdampfer, gigantisch in seinen Baukosten (fast eine Milliarde Mark) wie in seinen Ausmaßen: 80 Vortrags-, Konferenz- und Arbeitsräume, darunter der große Kongreß-Saal mit 5000 Plätzen und ein Bankettsaal mit bis zu 4000 Plätzen. Vor dem ICC eine monumentale (und in dessen Schatten fast wieder klein wirkende) Plastik des französischen Bildhauers Ipoustegy: "Der Mensch baut seine Stadt" (U-Bhf. Kaiserdamm, S-Bhf. Westkreuz, Busse 4, 10, 69, 94)

Joachimsthalsches Gymnasium

Ein 150 Meter langes, klassizistisches Bauwerk an der Bundesallee, gegenüber dem Bundeshaus, errichtet 1875 bis 1880.

Jüdisches Gemeindehaus

Auf dem Grundstück der ehemaligen, in der "Reichskristallnacht" 1938 zerstörten Synagoge in der Fasanenstraße (Nähe Zoologischer Garten). Vor dem Neubau das alte Eingangsportal. Die Jüdische Gemeinde zu Berlin zählt heute rund 6000 Mitglieder.

KaDeWe

Abkürzung für Kaufhaus des Westens, in der Tauentzienstraße kurz vor dem Wittenbergplatz. Bereits wenige Jahre nach der Jahrhundertwende entstanden, heute das größte Kaufhaus des Kontinents. Es gibt nichts, was es nicht gibt. Ein Bummel durch die sechs Etagen lohnt sich.

Kaiser-Wilhelm-Gedächtniskirche

Auf dem Breitscheidplatz steht die Turmruine als Mahnmal an den Zweiten Weltkrieg. Die Kirche, 1891-1895 zum Gedächtnis an Wilhelm I. erbaut, wurde im Krieg zerstört. Der Neubau entstand 1959-1961 nach einem Entwurf von Egon Eiermann. Anfangs heftig umstritten, ist die neue Gedächtniskirche unter Einbeziehung der Turmruine längst allgemein akzeptiert und zu einem Berliner Symbol geworden.

Kammergericht

Das Alte Kammergericht in der Lindenstraße in Kreuzberg, 1735 erbaut, ist das einzige Stadthaus der Barockzeit in Berlin (West). Heute ist hier das Berlin Museum untergebracht (U-Bhf. Hallesches Tor). - Das neue, 1913 erbaute Kammergericht im Kleistpark an der Potsdamer Straße (Schöneberg) wurde 1945 Sitz des Alliierten Kontrollrats. 1971 wurde hier das Vier-Mächte-Abkommen über Berlin unterzeichnet.

Kongreßhalle

Nach nur vierzehnmonatiger Bauzeit im September 1957 eröffnet, als kühnes Bauwerk gefeiert, von den Berlinern aufgrund der eigenwilligen Dachkonstruktion "Schwangere Auster" genannt. Sie befindet sich an der John-Foster-Dulles-Allee im Tiergarten (Bus 24, 69, 83) und ist heute als "Haus der Kulturen der Welt" ein Podium für außereuropäische Kulturen.

Kreuzberg

Der flächenmäßig kleinste der West-Berliner Bezirke, jedoch mit der größten Bevölkerungsdichte. Wer die Probleme dieser Stadt, aber auch neue Lösungsansätze konzentriert kennenlernen will, muß sicherlich nach Kreuzberg (siehe auch "Der besondere Stadtrundgang: Kreuzberg", S. 52 ff). Ins Auge fallen vor allen Dingen zwei Aspekte, die bei genauerem Hinsehen eng miteinander verbunden sind: das vielfältige Bevölkerungsgemisch auf der einen Seite und die uneinheitliche Baustruktur auf der anderen Seite. Sie sind es, die zu einem guten Teil die Lebendigkeit des Bezirks ausmachen, stellenweise gar den Eindruck des Chaotischen hinterlassen. Alteingesessene Kreuzberger leben, wohnen und arbeiten neben Ausländern, vor allem Türken, und jungen Menschen, die nach Kreuzberg kamen und anfänglich vor allem billigen Wohnraum suchten. Das ging natürlich nicht immer ohne soziale Reibungen ab. - Es wurde und wird viel saniert: zuerst radikal; später "behutsam", Altbausubstanz soll, soweit möglich, erhalten bleiben. Die Internationale Bauausstellung 1987 hat insbesondere auch in Kreuzberg viele Beispiele neuerer Architektur geschaffen. - Den Namen hat der Bezirk von dem 66 Meter hohen Kreuzberg.

Kurfürstendamm

Mit seinen zahlreichen Geschäften, mit etwa 100 Cafés und Restaurants, mit Theatern und Kinos heute wie früher beliebter Bummelboulevard. Im 16. Jahrhundert als Dammweg zum Jagdschloß Grunewald angelegt, in den achtziger Jahren des 19. Jahrhunderts auf Veranlassung Bismarcks zur Prachtstraße ausgebaut und seit der Zeit vor dem Ersten Weltkrieg die eleganteste Straße Berlins (Länge: 3,5 km).

Landwehrkanal

Im 19. Jahrhundert erbaut, gut 10 km lang, zweigt am Schlesischen Tor in zwei Armen vom linken Ufer der Spree ab und vereinigt sich am "Spree-Eck" in Charlottenburg wieder mit der Spree. Für die Schiffahrt hat der Landwehrkanal heute keine Bedeutung mehr.

Lübars

Altes Dorf im Norden Berlins (Bezirk Reinickendorf), das seinen ländlichen Charakter noch weitgehend bewahrt hat. Schlichte Dorfkirche und alter Dorfkrug, Schulhaus und hölzerner Feuerwehrturm sind noch vorhanden. Hart an der Grenze zur DDR gelegen, ist Lübars umgeben von Feldern und moorigen Wiesen des Tegeler Fließes. Es gibt in der Nähe ein schönes Freibad mit Strand und Liegewiese.

Luftbrückendenkmal

Denkmal zur Erinnerung an die 78 Opfer der Luftbrücke (Angehörige der Alliierten Streitkräfte und des Deutschen Hilfspersonals); 1951 auf dem Platz der Luftbrücke vor dem Flughafen Tempelhof feierlich eingeweiht (U-Bhf. Platz der Luftbrücke). Es symbolisiert die drei Luftkorridore.

Mariannenplatz

Einer der bekanntesten Plätze in Kreuzberg mit der Thomas-Kirche an der Nordseite und dem Haus Bethanien an der Westseite. Im Sommer bevölkern viele türkische Familien den Platz. Im Haus Bethanien, einem 1847 gegründeten Krankenhaus, finden heute vielfältige künstlerische Aktivitäten statt: Lesungen, Konzerte, Theateraufführungen.

Märkisches Viertel

Eine Trabantenstadt im Norden Berlins für etwa 50 000 Menschen, nach über zehnjähriger Bauzeit 1974 fertiggestellt. Die meisten Leute, die hier wohnen, kommen aus Sanierungsgebieten, in denen sie zwar billiger, aber meist auch wesentlich schlechter wohnten. Der anfangs schlechte Ruf, weit über Berlin hinaus, kam daher, daß in den ersten Jahren nur eine mangelhafte Infrastruktur vorhanden war. Das heißt: es gab zu wenig Geschäfte, Re-

staurants und Kneipen; zu wenig Schulen, Kindergärten und Spielplätze.

Die Mauer

Seit dem 13. August 1961 sind die beiden Teile Berlins durch die "Mauer" vollständig voneinander getrennt. Sie zieht sich als Betonmauer rings um Berlin (West). Weitere Sicherungsvorkehrungen wie Wachtürme, Fahrzeugsperren, Hundelaufanlagen usw. verstärken die Grenzanlagen.

An einigen Stellen kann man auf westlichem Gebiet stehend von erhöhten Plattformen aus über die Mauer sehen. Den stärksten Eindruck hat man am Reichstag (Blick auf das Brandenburger Tor), am Potsdamer Platz (Blick in die Leipziger Straße und nach links auf die Überreste der ehemaligen Reichskanzlei in der ehemaligen Wilhelmstraße) und am Checkpoint Charlie. Entlang der Mauer befinden sich an vielen Stellen (Bernauer Straße) Mahnmale, die an mißglückte Fluchtversuche erinnern. Die einzigen Verbindungen zwischen beiden Teilen der Stadt sind die Grenzübergänge. Aufgrund der Vereinbarungen zwischen dem Berliner Senat und der DDR hat der Besucherverkehr erheblich zugenommen bzw. ist für Berliner erst möglich geworden.

Nikolskoe

Ausflugsrestaurant auf einer Höhe an der Havel im Bezirk Zehlendorf. Friedrich Wilhelm III. hat das Blockhaus 1819 für seine Tochter Charlotte und seinen Schwiegersohn, den russischen Zaren Nikolaus I., errichten lassen. Ganz in der Nähe steht die 1834-1837 errichtete Kirche St. Peter und Paul mit russischer Zwiebelkuppel. An der Kirche vorbei abwärts führt ein Weg zur Pfaueninsel. Von der Höhe des Blockhauses ein herrlicher Blick auf die Havellandschaft (Bus 6; mit dem Auto erreichbar über den Nikolskoer Weg).

Nollendorfplatz

Platz im Bezirk Schöneberg, vor einigen Jahren "verkehrsgerecht" umgebaut; von einem Platz ist nicht mehr viel zu sehen. Im oberen Teil des U-Bahnhofs der bekannte Flohmarkt, auf Touristen zugeschnitten und entsprechend teuer.

Olympiastadion

1936 von Werner March für die Olympischen Spiele erbaut (anstelle des von O. March 1912 geschaffenen kleineren Stadions), ist es noch heute die größte Sportarena Deutschlands. Hier versammelte sich im Deutschland der Nationalsozialisten 1936 die Jugend der Welt, begrüßt von Hitler, drei Jahre vor Beginn des Zweiten Weltkrieges (U-Bhf. Olympiastadion). - Zum Olympiagelände gehören auch das Schwimmstadion, das Hockeystadion, das Reiterstadion, das Maifeld und der (wieder aufgebaute) Glockenturm, in dem man mit einem Lift hochfahren kann (April bis Oktober täglich 10-17.30 Uhr).

Pfaueninsel

Heute steht die rund 1500 Meter lange und 500 Meter breite Havelinsel unter Naturschutz. Ein Spaziergang hier ist zu jeder Jahreszeit schön. Nach Bedarf verkehrt eine Fähre (täglich 8-20 Uhr). Besonders sehenswert ist das im Ruinenstil erbaute Schloß (geöffnet April-Oktober täglich außer Mo 10-17 Uhr). Friedrich Wilhelm II. ließ es 1794-1797 für seine Geliebte errichten. Wenn man über die Insel streift, so stößt man noch auf eine ganze Reihe anderer Gebäude, darunter zum Beispiel das Kavalierhaus, den Königin-Luise-Gedächtnistempel, die Meierei (Busse 6 und 18, verbunden mit einem Fußweg, direkt der Bus 66 an den Tagen Mo bis Sa).

Philharmonie

Konzertsaal und Heimstatt des Philharmonischen Orchesters Berlin, 1963 eröffnet (am Rande des Tiergartens,

Busse 24, 29, 48, 83). Das von Hans Scharoun entworfene Bauwerk ist in seiner Art einmalig. Das Orchester wird hier räumlich und optisch zum Mittelpunkt. Rings um das Orchesterpodium steigen asymmetrisch die Zuschauerränge an. Künstlerischer Leiter des Orchesters ist seit 1954 Herbert von Karajan. In Ausführung der damaligen Pläne Scharouns entstand inzwischen auch der Kammermusiksaal gleich neben dem Bau der Philharmonie.

Planetarium

Am Fuße des Insulaners, 41, Munsterdamm 90, Tel. 7 96 20 29, Vorträge tägl. außer Mo 20 Uhr, Di, Do auch 18 Uhr und So auch 17 Uhr. Kuppelraum mit 300 Zuschauerplätzen, in dem mit dem berühmten Zeiss-Projektor der gesamte Sternenhimmel projiziert werden kann. Nebenan die Wilhelm-Foerster-Sternwarte.

Potsdamer Platz

Einst der verkehrsreichste Platz des Kontinents. 1924 stand hier Deutschlands erster Verkehrsturm. Heute ein trostlos leerer Platz an der Mauer, südlich des Brandenburger Tores (Bellevuestraße). Für Touristen ist hier ein Blick über die Mauer obligatorisch; Andenkenläden bieten Souvenir-Kitsch (Busse 24, 29, 48, 83)

Rathaus Schöneberg

Kurz vor dem Ersten Weltkrieg für die Schöneberger Stadtverwaltung gebaut. Nachdem die selbständige Stadt Schöneberg 1920 Verwaltungsbezirk von Groß-Berlin geworden war, blieb das Rathaus Sitz der Bezirksorgane. Seit der Spaltung Berlins 1948 auch Sitz des Abgeordnetenhauses und des Senats von Berlin (West). In der ersten Etage hat der Regierende Bürgermeister sein Amtszimmer, und im 70 Meter hohen Turm schlägt die Freiheitsglocke. (Besichtigung des Rathauses und des Abgeordnetenhauses über den Besucherdienst, Rathaus Schöneberg, 1000 Berlin 62, Tel. 7 83 80 47.) Der Rathausvorplatz heißt seit 1963 John-F.-Kennedy-Platz. Der amerikanische Präsident sprach hier den berühmt gewordenen Satz: "Ich bin ein Berliner" (U-Bhf. Rathaus Schöneberg, Busse 4, 16, 73, 74, 85).

Reichstag

Nach den Plänen von Paul Wallot wurde das Reichstagsgebäude 1884-1894 erbaut. Im Kaiserreich und in der Weimarer Republik Sitz des Parlamentes. Die Giebelinschrift "Dem Deutschen Volke" wurde erst während des Ersten Weltkriegs eingefügt. - Der sozialdemokratische Abgeordnete Philipp Scheidemann rief von einem Eckfenster des Gebäudes am 9. November 1918 die Republik aus. Am 27. Februar 1933 wurde der Bau durch Brandstiftung stark beschädigt. Der Brand war für die Nationalsozialisten ein willkommener Anlaß, politische Gegner zu verfolgen und zu verhaften. - Bis 1970 wurde der Reichstag wieder aufgebaut, mit restaurierter Fassade, aber ohne Kuppel. Er wird heute für Empfänge und politische Sitzungen benutzt. Im Gebäude die interessante Ausstellung "Fragen an die deutsche Geschichte" (S-Bhf. Lehrter Stadtbhf., Busse 69, 83).

Siegessäule

Errichtet 1865-1873 zur Erinnerung an die preußischen Feldzüge gegen Dänemark 1864, gegen Österreich 1866 und gegen Frankreich 1870/71. Über der Plattform die acht Meter hohe vergoldete Bronzestatue der Viktoria, geschaffen von Friedrich Drake. 66 Jahre lang stand die Siegessäule auf dem Königsplatz (heute Platz der Republik) vor dem Reichstag. Dann wurde sie in die Mitte des Großen Sterns versetzt und um eine Säulentrommel erhöht. Im Innern eine Wendeltreppe zum Bestei-

gen der Säule. Von der Plattform ein guter Rundblick, besonders in den Ostteil Berlins; April-Oktober täglich 9-18 Uhr, Mo ab 13 Uhr (Busse 16, 24, 69).

Sowjetisches Ehrenmal

Auf West-Berliner Boden nahe dem Brandenburger Tor an der Straße des 17. Juni 1945 von den Sowjets errichtet. Das Ehrenmal ist flankiert von zwei sowjetischen Panzern, die 1945 als erste Berlin erreicht haben sollen. Vor dem Denkmal eine sowjetische Ehrenwache.

Staatsbibliothek

Im Kulturzentrum am Rand des Tiergartens, Potsdamer Straße, gegenüber der Neuen Nationalgalerie. Entworfen von Hans Scharoun, wurde sie 1978 fertiggestellt. Dominierend der mächtige, langgestreckte Hauptbaukörper. Sehenswert die interessante Innenarchitektur mit dem Hauptlesesaal (Busse 24, 29, 48, 83).

Sternwarte Berlin (Wilhelm-Foerster-Sternwarte)

Auf dem Insulaner in Schöneberg (Zugang vom Munsterdamm 90), Tel. 7 96 20 29. Volkssternwarte mit großem Fernrohr, bei gutem Wetter abends Beobachtungen. Am Fuße des Insulaners das Planetarium.

Strandbad Wannsee

Unter den Berliner Freibädern das größte und schönste mit einem über einen Kilometer langen Sandstrand. Im Sommer tummeln sich hier oft Zehntausende. Die Strandkörbe und der helle Havelsand vermitteln hier das Gefühl, an der Ostsee zu sein (S-Bhf. Nikolassee, Bus 18).

Straße des 17. Juni

Sie beginnt am Ernst-Reuter-Platz und endet am Brandenburger Tor, erinnert an den Volksaufstand in Berlin (Ost) und der DDR, hieß einst Charlottenburger Chaussee und war ein Teilstück der großen Ost-West-Achse. Zwischen Ernst-Reuter-Platz und S-Bhf. Tiergarten die Charlottenburger Brücke. An den hohen Torbauten die Standbilder Friedrichs I. und seiner Gemahlin Sophie Charlotte.

Technische Universität

Die 1879 gegründete Technische Hochschule, hervorgegangen aus der Bauakademie und der Gewerbeakademie, wurde nach dem Krieg in "Technische Universität" umbenannt. Das fast 200 Meter lange Hauptgebäude steht an der Straße des 17. Juni. Diesem vorgelagert ist das Auditorium maximum, in den späten 60er Jahren Schauplatz vieler politischer Veranstaltungen der Studentenbewegung.

Teufelsberg

Künstlicher Berg im Grunewald am Teufelssee, entstanden durch Aufschüttung von 26 Millionen Kubikmetern Trümmerschutt. Mit einer Höhe von 120 Metern sogar die höchste Erhebung in Berlin (West). Mit Rodelbahnen und Abfahrtshängen beliebtes Wintersportgebiet der Berliner. Auf dem Hauptberg die weithin sichtbaren Kuppeltürme einer amerikanischen Radarstation.

Tiergarten

Seit dem 16. Jahrhundert Jagdrevier und Wildgehege der Kurfürsten von Brandenburg. Im 18. Jh. Umwandlung in einen Park. 1833-1838 machte der Landschaftsgärtner Peter Joseph Lenné den Tiergarten mit neu angelegten Seen und Wasserläufen zu einem der schönsten Parks Europas. 1945 wurde der Tiergarten von den Berlinern größtenteils abgeholzt und verheizt. Heute ist er wieder der größte und schönste innerstädtische Park.

Trabrennbahn Mariendorf

Moderne Trabrennbahn mit großem Tribünenhaus für die Zuschauer im südlichen Bezirk Tempelhof. Am Rande der Arena befinden sich weitläufige

Stallungen. Trabrennen an jedem Mi ab 18 Uhr und Sonntag ab 14 Uhr (Busse 7, 76, 78, 79).

Waldbühne

Das zusammen mit dem nahe gelegenen Olympiastadion erbaute Rund faßt 20 000 Zuschauer. Früher fanden hier sehr viele Veranstaltungen statt. Bei einem Konzert der Rolling Stones in den 60er Jahren ging sie zu Bruch. Neuerlich recht erfolgreiche Wiederbelebung dieser schönen Freilichtbühne durch Rock- und Konzertveranstaltungen (U-Bhf. Olympiastadion, Bus 94).

Wittenbergplatz

Am Ende der Tauentzienstraße gelegen, in den 60er Jahren Ausgangs- oder Zielpunkt zahlreicher Demonstrationen. Auf einer Verkehrsinsel der U-Bahnhof, erbaut 1912 und sehenswert!

Zitadelle Spandau

Ursprünglich eine Wasserburg aus der Zeit der Askanier, von der nur noch der Bergfried, der um 1200 erbaute "Juliusturm", erhalten ist. Die Burg wurde im 16. Jahrhundert mit vier Bastionen ausgebaut. Der Juliusturm (Öffnungszeiten: Di-Fr 9-17 Uhr, Sa und So 10-17 Uhr) nahm nach dem Krieg gegen Frankreich 1870/71 den Reichskriegsschatz auf. (Führungen durch den historischen Teil der Zitadelle: Sa 14-16, So 10-16 Uhr.) Heute befinden sich in der Zitadelle u. a. ein Heimatmuseum sowie Räume für Ausstellungen und Festlichkeiten. Im alten Burggewölbe eine schöne Gaststätte (U-Bhf. Zitadelle, Bus 13).

Zoologischer Garten

Als er 1844 eröffnet wurde - damals außerhalb der Stadt zwischen Berlin und Charlottenburg -, war er der erste Zoo in Deutschland. In den folgenden Jahrzehnten entwickelte er sich zu einem der reichhaltigsten Tiergärten Europas. Nach dem Kriege entstanden viele neue Tierhäuser und Freianlagen.

Heute enthält der Zoo die umfangreichste Tiersammlung der Welt: rund 11 000 Tiere in nahezu 1 600 Arten (inklusive Aquarium). Publikumsliebling der Berliner: ein Pandabär. Eingang Hardenbergplatz, Nebeneingang: das schöne, wieder erstandene "Elefantentor" in der Budapester Straße neben dem Aquarium. (Öffnungszeiten: täglich 9 Uhr bis Einbruch der Dunkelheit, spätestens 19 Uhr).

B E R L I N   (O S T)

In Berlin (Ost) ist vieles anders. Aber keine Angst. Nirgends kommt ihr so leicht, problemlos und schnell ins andere Deutschland wie von Berlin (West) nach Berlin (Ost). Hinter dem Brandenburger Tor liegt der eigentliche (ehemalige) Mittelpunkt Berlins. "Unter den Linden" und rund um den Alexanderplatz findet ihr auf engstem Raum eine Vielzahl historischer Sehenswürdigkeiten, aber auch unübersehbare Monumente sozialistischer Selbstdarstellung.

Im folgenden beschreiben wir, was ihr bei einem **Tagesbesuch von Berlin (Ost)** zu beachten habt. Andere Bestimmungen gelten, wenn ihr zu einem mehrtägigen Besuch bei Verwandten und Bekannten oder zu einem mehrtägigen touristischen Aufenthalt von Berlin (West) aus einreist. Näheres hierzu in der Broschüre über "Reisen in die DDR", die beim Gesamtdeutschen Institut, Postfach 120607, 5300 Bonn 1, Tel. (0228) 20 70, bezogen werden kann. Allgemeine Informationen für Besuche in der DDR auch in der Broschüre "77 praktische Tips" (gleiche Bezugsquelle).

Geschichtliche und politische Basisinformationen könnt ihr der Broschüre "Ost-Berlin", kostenlos beim IZB, Hardenbergstr. 20, 1000 Berlin 12, entnehmen. Hier könnt ihr auch einen Stadtplan der Innenstadt Ost-Berlins (Berlin - Zwischen Brandenburger Tor und Alexanderplatz) bekommen, der bei einem Besuch mitgenommen werden darf.

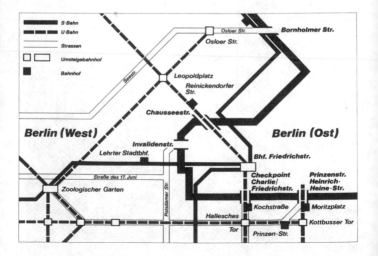

Allgemeines und Tips

Wie kommt man rüber?
Als Fußgänger, Autofahrer, S- oder U-Bahn-Benutzer. Mit dem Fahrrad, dem Moped, dem Motorrad, dem Paddelboot kommt man jedoch nicht nach Berlin (Ost). Die Mitnahme von Fahrrädern und Mopeds per PKW ist erlaubt.

Ausländer
Dokument: Reisepaß mit Tagesvisum (erhält man am Grenzübergang). Grenzübergänge: Bahnhof Friedrichstraße (für Benutzer der S- oder U-Bahn) oder Checkpoint Charlie (Friedrichstraße/Kreuzberg) für Fußgänger oder Autofahrer. Einreise 0 bis 20 Uhr, Ausreise bis 24 Uhr.

Besucher aus dem Bundesgebiet
Dokument: Reisepaß mit Tagesvisum (erhält man am Grenzübergang); der Personalausweis genügt nicht. Die Einreise von Jugendlichen (ab 10. Lebensjahr ist ein Kinderausweis mit Lichtbild nötig) vor dem vollendeten 16. Lebensjahr ist nur in Begleitung Erziehungsberechtigter oder anderer Erwachsener (Lehrer, Gruppenleiter) erlaubt. Grenzübergänge (Einreise 6 bis 20 Uhr, Ausreise bis 24 Uhr):
- für Benutzer der S- und U-Bahn: Bahnhof Friedrichstraße
- für Fußgänger oder Autofahrer: Prinzen/Heinrich-Heine-Straße (Kreuzberg) oder Bornholmer Straße (Wedding)

Für Hin- und Rückreise muß derselbe Übergang benutzt werden.

Visagebühren
Für den Tagesaufenthalt in Berlin (Ost) verlangt die DDR eine einheitliche Visagebühr von 5,- DM, egal ob Bundesbürger oder Ausländer. Sie wird beim Vorlegen des Reisepasses erhoben. Kinder und Jugendliche bis zum vollendeten 16. Lebensjahr bezahlen für das Tagesvisum nichts.

Mindestumtausch - Rücktausch
Bei Reisen nach Berlin (Ost) bzw. in die DDR ist ein Mindestumtausch von täglich 25,- DM in Mark der DDR (im Verhältnis 1:1) für Bundesbürger und Ausländer vorgeschrieben. Kinder, die das 14. Lebensjahr noch nicht vollendet haben, sind vom Mindestumtausch befreit. Für Jugendliche im Alter von 14 Jahren beträgt der Mindestumtausch DM 7,50, für Rentner DM 15,-. Der Umtausch erfolgt nach Erhalt des Visums beim DDR-Zoll. Ein Rücktausch dieses Geldes ist nicht möglich. Bargeld in DM-West kann mitgeführt, muß aber oft angegeben werden. Im allgemeinen lohnt es sich nicht, noch zusätzlich Geld umzutauschen: einerseits hat man schon Mühe, die 25,- DM auszugeben, zudem sind u. a. Interhotels, Intershops und Intertankstellen berechtigt, DM-West anzunehmen. Andererseits: zu-

sätzlich umgetauschtes Geld kann wieder zurückgetauscht werden. Dazu Quittung der Wechselstelle vorzeigen!

**Was darf rein -
was darf raus!**

Was **nicht** mitgenommen werden darf:

- DDR-Mark oder Zahlungsmittel osteuropäischer Länder (Die Kontrollen sind streng und die Strafen hoch!)
- die meisten Drucksachen, insbesondere Zeitungen und Zeitschriften sowie Bücher, deren Inhalt nicht mit der kommunistischen Ideologie in Einklang steht. Die Vorschriften werden in der Regel für unsere Begriffe sehr streng ausgelegt. In jedem Fall müßt ihr mit einer länger dauernden Überprüfung rechnen
- viele Popschallplatten
- Werbemittel (z. B. Prospekte, Aufkleber, Biergläser)
- Briefwechsel mit Behörden
- und einiges mehr: Die Verbotsliste ist lang.

Was nach Berlin (Ost) mitgenommen werden darf:

- der Reisebedarf
- Geschenke im Wert bis zu 1.000,- Mark in DDR-Preisen (Dies sollte man jedoch nur tun, wenn man Namen und Adresse des Empfängers nennen kann.)
- Fotoapparate und zugehöriges Filmmaterial
- bestimmte Fachzeitschriften,
- Briefmarken, Münzen und

ungültige Banknoten
- Tonbandkasetten,
- Videokasetten und -kameras (nicht als Geschenk, sondern als "persönlicher Gegenstand", der wieder zurückgebracht werden muß).

Als Mitbringsel aus Berlin (Ost) sind **nicht** erlaubt:

- die meisten Lebensmittel
- diverse Kleidung
- Meißener Porzellan, Kunstgegenstände, antiquarische Bücher, die älter als 30 Jahre sind
- übriges DDR-Geld
- und einiges mehr.

Genaueres findet sich im Merkblatt "Reisen in die DDR" des Bundesministeriums für innerdeutsche Beziehungen.

Auskünfte zu Einzelfragen gibt die Beratungsstelle der Bundesregierung für den innerdeutschen Reiseverkehr im Gesamtdeutschen Institut, Adenauerallee 10, 5300 Bonn 1, Telefon (0228) 20 70, Postfach 12 06 07.

Was macht man also mit den 25,- DDR-Mark, wenn man es nicht schafft, sie in Restaurants oder durch einen Theaterbesuch auszugeben? Erlaubt und empfehlenswert ist der Kauf von

- Büchern (Fachbüchern)
- Zeitungen, Zeitschriften, Ausstellungskatalogen
- kunstgewerblichen Dingen,
- Schallplatten
- Tonbandkasetten.

Zollfreie Ausfuhr

ist erlaubt:
- bei Tagesbesuchen bis zu einem Wert von 100,- DDR-Mark
- bei mehrtägigem Besuch bis zum Wert von 200,- DDR Mark.

Ein paar Tips für den Besuch in Berlin (Ost)

- Tauscht in Berlin (Ost) kein Geld bei Privatpersonen! Ihr macht euch strafbar.

- Für Autofahrer gilt ein absolutes Alkoholverbot. Ein Glas Bier ist schon zuviel. Achtet auch streng auf die Verkehrsregeln, denn die Straßenverkehrsordnung weicht in vielen Punkten von der unseren ab. Die Polizei ist da sehr pingelig!

- Grundsätzlich könnt ihr in Berlin (Ost) alles fotografieren. Ausgenommen sind Grenzbauten oder militärische Anlagen; Aktivitäten von Grenztruppen, Betriebs-Kampftruppen, der Volksarmee usw. (Ausnahme: die Ehrenwache Unter den Linden); Industrie- und Bahnanlagen u. ä.

- Gebt euch ganz normal! Redet mit Grenzbeamten und Zöllnern, Obern und Garderobefrauen, Busfahrern und Bahnangestellten natürlich und nicht überheblich. Kehrt in der Gaststätte nicht den großen Max raus, der aus dem Westen kommt. Vermeidet es, mit uniformierten Soldaten der Volksarmee an einem Tisch zu sitzen. Das kann unerfreuliche Konsequenzen nach sich ziehen - für euch und noch mehr für die Soldaten.

- Die Stadtgrenzen dürfen nicht verlassen werden.

- Solltet ihr wider Erwarten bei der Beantragung der Einreise oder in Berlin (Ost) Schwierigkeiten haben, so wendet euch an die folgenden Stellen:

In Berlin (West):

- Beschwerdestelle für den Besuchs- und Reiseverkehr beim Landesverwaltungsamt, 31 (Wilmersdorf), Fehrbelliner Platz 1, Zi. 2047, Tel. 87 02 31,

- Zentrale Meldestelle und Beratungsstelle für den West-Ost-Verkehr, 31 (Wilmersdorf), Fehrbelliner Platz 2, Mo, Di, Fr 9-12, Do 16-18 Uhr, Tel. 867 67 42, 867 69 63, 867 58 21, 867 44 46.

In Berlin (Ost):

- **Ständige Vertretung der Bundesrepublik Deutschland bei der DDR,** DDR-1040 Berlin, Hannoversche Straße 30, Tel. 280 51 01 (West-Berliner Postfachadresse: Postfach 61 02 61, 1000 Berlin 61).

- Ausländer wenden sich an ihre diplomatischen Vertretungen (Botschaften in Berlin [Ost], Konsulate oder Miltärmissionen in Berlin [West]).

- Telefonieren ist jederzeit von jeder Telefonzelle für Ferngespräche möglich. Allerdings ist die Vorwahl unterschiedlich.

Von Berlin (West) nach Berlin (Ost): 03 72
Von Berlin (Ost) nach Berlin (West): 8 49.
Aus der Bundesrepublik nach Berlin (Ost): 0 03 72.

Wichtige Hinweise

Auto-Reparaturen
Zentraler Kfz-Hilfsbereitschaftsdienst, 1141 Berlin-Biesdorf, Alt-Biesdorf 64
Tel. 5 24 35 65 (rund um die Uhr)

Abschleppdienst
Tel. 5 59 25 00 (rund um die Uhr). Es meldet sich der VEB "Auto Service Berlin" in Berlin-Lichtenberg

Bahnhofsdienst des DRK
Bahnhof Friedrichstraße:
Tel. 2 29 13 26; Hauptbahnhof: Tel. 4 39 69 21; Bahnhof Lichtenberg: Tel. 5 25 17 40

Fundbüros
Zentrales Fundbüro: 1040 Berlin, Wilhelm-Pieck-Straße 164, Tel. 280 62 35, Deutsche Reichsbahn: Im S-Bhf. Marx-Engels-Platz, 1020 Berlin, Tel. 4 92 16 71

Berlin-Information
Informationszentrum am Fernsehturm, 1020 Berlin, Alexanderplatz, Tel. 2 12 46 75, Mo 13-19 Uhr, Di-Fr 8-18 Uhr, Sa/So 10-18 Uhr

Service für ausländische Besucher
1026 Berlin, Haus des Reisens, Alexanderplatz 5, Tel. 2 15 44 02, Mo-Fr 8-20 Uhr, Sa, So 9-18 Uhr

Jugendtourist
1080 Berlin, Friedrichstraße 79a, Tel. 226 63 22, Mo-Fr 8 - 18 Uhr.

Aktuelle Programme
über Berlin (Ost) sind in dem monatlich erscheinenden Heft "Wohin in Berlin?" abgedruckt. Preis: 60 Pfg. Am besten sich im Informationszentrum am Fernsehturm besorgen. Auch in den beiden (West-Berliner) Stadtillustrierten "tip" und "zitty" und im monatlichen Berlin-Programm findet ihr Theater- und Veranstaltungshinweise.

Eintrittskarten/ Reservierungen
Haus des Reisens, 1026 Berlin, Alexanderplatz 5, Tel. 215 41 61 und 212 33 75, Mo-Fr 8-20 Uhr, Sa/So 9-18 Uhr. und an der Theaterkasse im Palasthotel, Spandauer Straße 2, Tel. 212 52 58, 212 59 02, Mo 13-19, Di-Fr 10-13, 14-19, Sa 10-13 Uhr. Auch bei einem "Sevice-Büro" des Reisebüros der DDR auf dem nur vom Westteil Berlins aus direkt zugänglichen Teil des Bahnhofs Friedrichstraße in Berlin (Ost) können Theaterkarten bestellt werden. In Berlin (West) vermittelt die Theaterkasse Zehlendorf, 37, Teltower Damm 22, Tel. 801 16 52 und 801 30 56 Karten für Ost-Berliner Aufführungen.

Notrufe

Polizei 110
Erste Hilfe 115
Feuer 112
Ärztebereitschaftsdienst 12 59
Apothekenbereitschaft 160
Rettungsamt 2 82 05 61

Postämter

Bhf. Friedrichstraße: Mo-Fr 7-21 Uhr, Sa 8-13 Uhr, Tel. 2 07 19 92
Hauptbahnhof: Straße der Pariser Kommune: 0-24 Uhr, Tel. 5 80 08 71
Alexanderplatz: Rathausstraße 5, Mo-Fr 7-21 Uhr, Sa 8-19 Uhr, So 8-14 Uhr, Tel. 2 10 50
Französische Straße 9-12: Mo-Fr 7-19 Uhr, Tel. 2 20 50
Palast der Republik: täglich 10-22 Uhr

Stadtrundfahrten

über das Reisebüro der DDR, 1017 Berlin, Hauptbahnhof, Tel. 436 35 50. Tageskasse und Vorbuchungen Mo 10-17, Di, Mi, Fr 8.30-17, Do 8.30-19, Sa 8.30-13 Uhr. Im Angebot sind 13 verschiedene Rundfahrten, auch eine Kremserfahrt und Stadtrundgänge. Angebot per Taxi: fünf Routen, Kosten (bis zu vier Personen) zwischen 16,50 und 55,- Mark. Gruppen mit eigenem Bus wenden sich in Berlin (West) an das Deutsche Reisebüro (DER), Augsburger Straße 27, 1000 Berlin 30, Tel.

24 01 21. Es werden verschiedene Touren angeboten. (Achtung: Anmeldung vier bis sechs Wochen vorher!) Rundfahrten durch Berlin (Ost) von Berlin (West) aus werden auch von den auf S. 38 genannten Unternehmen veranstaltet.

Verkehrsmittel

Öffentliche Verkehrsmittel sind in Berlin (Ost) sehr billig. Ob Bus, Straßenbahn, U-Bahn oder S-Bahn, der Einheitspreis für eine Fahrt beträgt 0,20 Mark (jedoch keine Umsteigeberechtigung). Touristenkarte für alle Verkehrsmittel 2,- Mark pro Tag.

Wechselstellen

Außer an den bekannten Grenzübergängen Heinrich-Heine-Straße (Tel. 2 79 23 04) und Bornholmer Straße (in der Malmöer Straße 15, Tel. 4 49 59 89) gibt es in Berlin (Ost) folgende Wechselstellen, in denen man zusätzliches Geld umtauschen oder nicht ausgegebenes Geld gegen Quittung hinterlegen kann:
Hauptbahnhof Tel. 4 36 70 29
Reisebüro der DDR, Alexanderplatz 5, Tel. 2 15 44 43
Bahnhof Friedrichstraße, Tel. 2 29 14 11
Interhotel Stadt Berlin, Hotel Metropol, Hotel Unter den Linden, Hotel Berolina, Palast-Hotel, Grandhotel.

Zwischen Brandenburger Tor

und Alexanderplatz: Ein Spaziergang

Länge: 6 km
Dauer 2-3 Stunden (ohne größere Pausen)

Im folgenden geben wir euch eine Tour durch Berlin (Ost) an, die einen recht umfassenden Eindruck von gestern und heute vermittelt. Im Kapitel "Berlin (Ost) von A bis Z" werden die einzelnen Sehenswürdigkeiten ausführlich beschrieben. Museen, Theater u.a. werden in gesonderten Abschnitten behandelt.

Ausgangspunkt ist der Bahnhof Friedrichstraße ①, Haupteingang. Zunächst gehen wir rechts runter, die **Friedrichstraße** lang, am **Hotel "Metropol"** vorbei. Da sind wir schon an der weltbekannten Ecke Friedrichstraße - **Unter den Linden,** dem Brennpunkt des alten Berlin. Hier, am "Haus der Schweiz", biegen wir rechts ab, schlendern in Richtung Brandenburger Tor. Schaut euch die Warenangebote der diversen Läden an, noch interessanter sind die Informationen und Auslagen in den Schaufenstern des Hauses der Staatsjugendorganisation FDJ. Hinter der Neustädtischen Kirchstraße (Sitz der USA-Botschaft) beginnen Neubauten, Bürohäuser. Botschaften sind es zumeist - die Franzosen, die Briten, die Ungarn, die Polen haben sich in unmittelbarer Nähe des **Pariser Platzes** eingerichtet. Wir erreichen die Ecke Linden/Otto-Grotewohl-Straße. Vor uns das **Brandenburger Tor** ②. Wir überqueren die Straße bis zur Schranke. Seit dem 13. August 1961 zieht sich hinter dem Tor die "Mauer" entlang. Wir drehen um, nehmen die südliche Seite der "Linden" und passieren dabei die Sowjetische Botschaft. Nach der Glinkastraße folgt ein großes Wohnhaus mit Ladenpassage. Kunstdrucke, das Französische Kulturzentrum und ein Vorverkaufsbüro der naheliegenden **Komischen Oper** in der Behrenstraße sind hier untergebracht. Hier stand einmal das berühmte Café Kranzler, die "Walhalla der Gardeleutnants"...

heute erhebt sich dort das **Grandhotel** mit Valuta-Restaurants und einer Fußgängerpassage par excellence. Gegenüber der Friedrichstraße befindet sich das **"Lindencorso",** ein gepflegtes Restaurant mit Café und Tanzbar. Nach diesem Haus wird's alt. So sahen die "Linden" früher aus, so wurden sie nach 1945 restauriert. An der Ecke Charlottenstraße fällt uns die Buchhandlung "Das Sowjetische Buch" auf. Danach folgt das **Alte Palais,** ehemals Wohnung von Kaiser Wilhelm I. Vor dem Palais, auf dem Mittelstreifen, das **Denkmal Friedrichs des Großen.** Rechts öffnet sich uns der **Bebelplatz** mit der **Alten Bibliothek** ("Kommode"), der **Deutschen Staatsoper** und - im Hintergrund - der Staatsbank. Ein Kuppelbau nicht zu vergessen: die **St. Hedwigs-Kathedrale.** Vom Bebelplatz können wir schnell einen Abstecher machen zum **Platz der Akademie** ③, dem ehemaligen Gendarmenmarkt. Die Restaurierung des Platzes infolge der Zerstörungen von 1944 ist fast vollständig abgeschlossen: Das Schinkelsche Schauspielhaus, der Französische Dom und das Schillerdenkmal sind inzwischen fertig, am Deutschen Dom wird noch gearbeitet.
Zurück zu den "Linden"! Der Staatsoper schließt sich eine Anlage an mit Denkmälern der Feldherren Blücher, Yorck, Gneisenau und Scharnhorst. Das **Operncafé** war das ehemalige Prinzessinnenpalais. Es ist mit dem alten **Kronprinzenpalais** verbunden, dem heutigen "Palais Unter den Linden". Etwas versetzt zwischen dem Lindenpalais und dem Neubau des Außenministeriums steht die von Schinkel errichtete **Friedrichswerdersche Kirche,** sie ist liebevoll restauriert und als Schinkelmuseum eingerichtet worden.
Hier machen wir halt, blicken am Seitengeländer der **Marx-Engels-Brücke** ④ über die Spree. Vor uns - über den Fluß - ein großer, weiter Platz: der **Marx-Engels-Platz.** Rechts, ganz hinten, ein langgezogener Bau mit Barockportal: **das Gebäude des Staatsrats,** der Sitz der DDR-Regierung. Im rechten Winkel ein großer, weißer Block mit großer Freitreppe und getönten Glasfenstern: **der Palast der Republik.** Links davon, über die Straße, der **Berliner Dom,** er wird z. Zt. im Inneren noch restauriert. Nördlich davon, hinter dem **Lustgarten** (er-

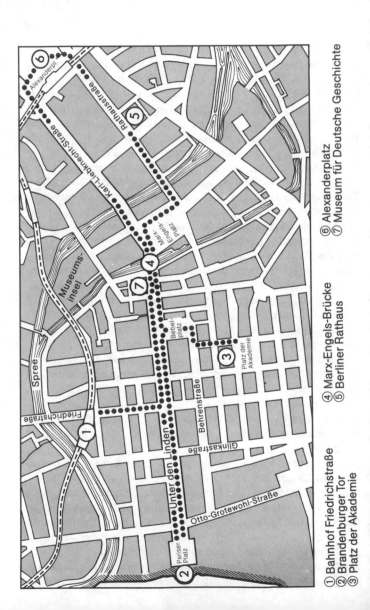

① Bahnhof Friedrichstraße
② Brandenburger Tor
③ Platz der Akademie
④ Marx-Engels-Brücke
⑤ Berliner Rathaus
⑥ Alexanderplatz
⑦ Museum für Deutsche Geschichte

kennbar an dem Säulengang), taucht das Alte Museum auf - der Beginn der **MuseumsInsel** mit **Nationalgalerie, Pergamonmuseum, Bodemuseum** und **Neuem Museum** (im Wiederaufbau). Drehen wir uns um, so sehen wir das ehemalige Zeughaus, heute **Museum für Deutsche Geschichte.** Gehen wir erst mal in den Palast! Er ist zu einem Treffpunkt in Berlin (Ost) geworden. Als Tagungsort der Volkskammer, als Konzertsaal und Stätte vieler Restaurants hat er sich seinen Namen gemacht. Hier verweilen wir, können Kaffee trinken oder etwas essen. Den Palast verlassen wir auf der zur Spree gelegenen Seite, biegen rechts ab und überqueren die Rathausbrücke. Vor uns tut sich einiges Neues auf: das **Marx-Engels-Forum,** das **Berliner Rathaus**⑤, das neue historische Viertel um die **Nikolaikirche** (s. unten "Im Nikolaiviertel"), der **Fernsehturm,** die **Marienkirche,** der S-Bahnhof Alexanderplatz. Hier treffen wir auf das Ost-Berliner Zentrum. Moderne Bauten prägen das Bild; unten Passagen mit Geschäften, in den ersten Etagen Restaurants oder weitere Läden, oben Wohnungen. Inmitten des Vorplatzes, einer riesigen Fußgängerzone mit zahlreichen Souvenirständen, Cafés, dem Neptunbrunnen, ragt der Fernsehturm empor. Versuchen wir unser Glück, stellen uns an, fahren rauf zur Aussichtsplattform in der runden Kuppel, zum drehbaren Restaurant! Das Zentrum, die **Karl-Marx-Allee,** die Frankfurter Allee, der Prenzlauer Berg, der Friedrichshain, Lichtenberg, Treptow und das weite Umland liegen uns zu Füßen. Der Blick nach Westen nicht zu vergessen - er reicht weit über den Tiergarten, das Europa-Center hinaus bis zur Radarstation auf dem Teufelsberg. Im Süden fast hautnah die **Leipziger Straße**, der Spittelmarkt und - hinter der Mauer - Kreuzberg, Flughafen Tempelhof, Rathaus Schöneberg. Nach einer Stunde (so lange dauert die Rundtour im drehbaren Tele-Café) runter zum nächsten Ziel, dem eigentlichen **Alexanderplatz**⑥. Der liegt hinter dem S-Bahnhof, wir erreichen ihn durch die Bahnunterführung. Interessant für uns sind das "Alexanderhaus" (mit Buchhandlung und dem Schnellrestaurant "Suppenterrine"), die Restaurants im **Hotel Stadt Berlin** (Zille-Stube), das Centrum-Warenhaus auf der westlichen Seite hinter dem großen Brunnen, die **Weltzeituhr** (auch als Treffpunkt mit Freunden von drüben). An der Nordseite des "Alex" reihen sich große Geschäftshäuser auf: z. B. das Reisebüro-Hochhaus (dort gibt es alle Touristen-Auskünfte, aber auch Theaterkarten). Gehen wir ein Stück weiter, an der Ecke zur Karl-Liebknecht-Straße, finden wir ein für DDR-Verhältnisse gutes Schallplattengeschäft, das nicht nur Klassiker führt, sondern auch manche Pop-, Rock- und Jazzscheiben auf Lager hat. Gegenüber im "Haus des Berliner Verlags" befindet sich das **Pressecafé,** ein akzeptables Restaurant mit guter Küche und vielen Zeitungen.

Kehren wir zu den "Linden", zur Friedrichstraße zurück. Wer Blasen an den Füßen hat - die S-Bahn fährt direkt vom Alexanderplatz zum Bahnhof Friedrichstraße.

Wir bleiben den gesamten Rückweg auf dem nördlichen Bürgersteig der Karl-Liebknecht-Straße und der "Linden". In den Passagen der Karl-Liebknecht-Straße informieren wir uns über das Lebensmittelangebot der Delikat-Läden und der Berliner Markthalle, schlendern am **polnischen und ungarischen Kulturzentrum** vorbei. An der nächsten Ecke (Spandauer Straße) biegen wir mal kurz nach rechts ab, um uns im **"Internationalen Buch"** (auch fremdsprachige Literatur) umzusehen.

Das **Palast-Hotel** auf der anderen Seite der Spandauer Straße hat nur einen interessanten Laden, den **"Zentralen Besucherdienst der Berliner Bühnen".** Hier kann man vorbestellte Karten für Oper, Theater, Konzert abholen, sich über das laufende Kulturprogramm informieren. Die Restaurants in diesem Nobelhotel sind für DDR-Verhältnisse exzellent, aber sehr teuer.

Der Rest der Strecke wird wieder historisch. Hinter dem Dom und dem Lustgarten steht das **Museum für Deutsche Geschichte**(7), wir haben es kurz von der anderen Seite gesehen. Ein Besuch lohnt, ist doch das ehemalige Zeughaus bestes Beispiel dafür, wie der Arbeiter- und Bauernstaat Vergangenes und Gegenwärtiges aus seiner Sicht vermittelt. Preußisch wird's gleich nebenan. Denn vor der Neuen Wache, dem heutigen

"Mahnmal für die Opfer des Faschismus und Militarismus", stehen Ehrenposten der Volksarmee, die bei der Wachablösung (jede Stunde) im Stechschritt ihren Vorbildern aus alten Zeiten nicht hinterherhinken.

Hinter der "Neuen Wache" liegt das **Maxim-Gorki-Theater.** Gleich nebenan ist übrigens das **"Zentrale Haus der Deutsch-Sowjetischen Freundschaft",** das Kulturzentrum der UdSSR mit Vortragssaal, Ausstellungen, Filmvorführungen.

Dann geht es weiter: an der **Humboldt-Universität** vorbei (erkennbar an den Statuen der Humboldt-Brüder Wilhelm und Alexander) und der **Deutschen Staatsbibliothek.** An der Ecke zur Charlottenstraße werfen wir einen Blick in die Fenster des **Bulgarischen Kulturzentrums.** Dort gibt es - wie in den anderen Kulturzentren auch - preiswerte Souvenirs und Kunstgewerbe. Nach wenigen Metern stehen wir an der uns bekannten Kreuzung Friedrichstraße/"Linden". Zu essen gibt es was im **Hotel Unter den Linden** (sehr vornehm), in den Restaurants des **Hotels Metropol** oder im Hochhaus des **Internationalen Handelszentrums** direkt vor dem Bahnhof Friedrichstraße.

Im Nikolaiviertel

Berlins Wiege nahe der Spreefurt am Mühlendamm ist die Nikolaikirche aus dem 13. Jahrhundert. Im Inferno des Zweiten Weltkrieges versunken, ist das Viertel aus Anlaß der 750-Jahr-Feier neu entstanden. Um die gotische Basilika mit Doppelturm gruppieren sich entlang der alten Straßenzüge das barocke Ephraim-Palais, die Gerichtslaube, die Zille-Kneipe "Nußbaum", das Knoblauchhaus. Geschäfte, Boutiquen, viele Restaurants (vom Stehimbiß bis zum noblen "Schwalbennest"), mehrere Museen und Spezialitätenläden sind zum Publikumsrenner geworden.

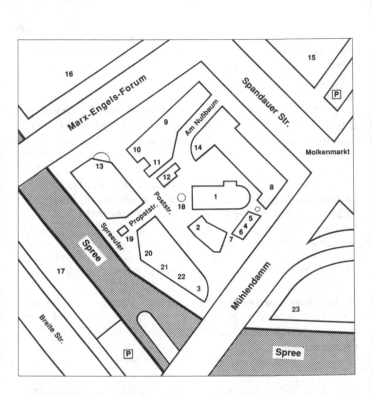

1 Nikolaikirche

Nikolaikirchplatz, Tel. 21 71 31 46, 21 71 33 14 (Führungen), So, Mo 10-17 Uhr, Do, Sa 10-18 Uhr, Fr 10-16 Uhr. Ausstellungen über das mittelalterliche Berlin, Konzerte.

2 Knoblauchhaus

Poststraße 23, Tel. 21 27 31 31, täglich 10-24 Uhr. Barockhaus des Seidenfabrikanten Christian Knoblauch; bekannt die "Historische Weinstube". Die oberen Räume sollen Museen werden.

3 Ephraimpalais

Poststraße, Ecke Mühlendamm, Tel. 21 71 33 02, Mo 10-16 Uhr, Di, So 10-17 Uhr, Mi, Sa 10-18 Uhr. Schönstes Barockhaus Berlins, wechselnde Ausstellungen, Kindergalerie. Café täglich 10-22 Uhr.

4 Berliner Handwerksmuseum

Mühlendamm, Tel. 21 71 33 25, Mo 10-17 Uhr, Di, Mi 9-17 Uhr, Sa, So 10-18 Uhr. Ständig: Berliner Handwerk vom Mittelalter bis zum 19. Jahrhundert.

5 Zum Paddenwirt

Nikolaikirchplatz/Ecke Eiergasse, Tel. 21 71-0, tägl. 10-24 Uhr

6 Zur Rippe

Poststraße 17, Ecke Mühlendamm Tel. 21 71 32 35, tägl. 10-24 Uhr

7 Kaffeestube
Poststr. 19, Ecke Mühlendamm, Tel.
21 71-0, tägl. 10-22 Uhr

8 Musikhaus Carl-Friedrich Zelter
Spandauer Str. 29, Tel. 21 71 33 72,
21 71 33 22, Mo-Mi 10-19 Uhr, Do 10-20
Uhr, Fr 10-19 Uhr, Sa 9-13 Uhr. Noten,
Tonträger, Antiquitäten.

9 Grand Hand
Marx-Engels-Forum, Mo-Fr 10-19 Uhr
(Do bis 20 Uhr), Sa 9-13 Uhr. Spezialla-
den der Altenburger Spielkartenfabrik.

10 Weißbierstuben, Restaurant Mutter Hoppe
Marx-Engels-Forum/Ecke Poststraße,
Tel. 21 71-0, tägl. offen bis 24 Uhr -
Weißbier gibts ab 10 Uhr, Mutters Kü-
che ab 11.30 Uhr.

11 Gerichtslaube
Poststraße, Tel. 21 71-0, tägl. 10-24
Uhr, mit Freiterrasse.

12 Zum Nußbaum
Probststraße/Ecke Am Nußbaum, Tel.
21 71-0, tägl. 10-24 Uhr. "Die" Kneipe
Heinrich Zilles.

13 Am Marstall
Marx-Engels-Forum 23, Tel. 212 69 19,
212 45 69. Restaurant Schwalbennest:
11-24 Uhr (Fr, Sa bis 1 Uhr), Café Flair
10-24 Uhr, Bacchuskeller 19-2 Uhr.

14 Nikolai-Café
Am Nußbaum/Ecke Probststraße, Tel.
21 71-0, 8-22 Uhr.

15 Berliner Ratskeller
Im Berliner Rathaus, Rathausstraße,
Tel. 212 53 01, 212 45 26 (Bestell-
dienst); Restaurant 9-24 Uhr (Küche
bis 22 Uhr), Bierrestaurant 9-24 Uhr,
Weinrestaurant 10.30-24 Uhr (Fr, Sa bis
1 Uhr), Bar 17-3 Uhr (Tanz Mi, Do, So ab
19 Uhr).

16 "Marx-Engels-Forum"
Zwischen Spree und Spandauer Straße
ist auf dem Areal der früheren Haupt-
post eine Grünanlage zum Marx-Engels-Forum ausgestaltet worden. Reliefs, Stelen und Bronzedenkmal der
Bildhauer Engelhardt, Midell und Stöt-
zer erinnern an die "Urväter" des wis-
senschaftlichen Sozialismus.

17 Marstall - Ribbeckhaus - Stadtbibliothek
Das Ensemble an der Breiten Straße,
bestehend aus dem ehemaligen Hof-
Pferdestall und dem ältesten Renais-
sancehaus Berlins (Baujahr 1624)
dient heute der Populärwissenschaft
und der Kunst. Stadtarchiv, Stadtbü-
cherei, Ratsbibliothek und Ausstellungsräume der Akademie der Künste
sind hier untergebracht.

18 Handwerkerbrunnen
Im Brunnentrog sind die Siegel der ältesten Berliner Zünfte eingelassen. Daneben - auf einer Rundstele - das Relief
des ältesten Stadtsiegels.

19 St.-Georgs-Denkmal
Bronzedenkmal von August Kiß, errichtet 1855 im Hof des Berliner Stadtschlosses. Nach dem Volksmund der
Berliner muß sich der Ritter "verdammt
schleppen": Een Pferd reiten, det
Schwert führen, mit dem Drachen sich
rumhauen und noch die olle Standarte
hochhalten - det is een bisken ville!

20 Spreebüffett
Probststraße/Ecke Spreeufer, tägl. 10-
22 Uhr. SB-Imbiß, Moccastube.

21 Café Spreeblick
Probststraße/Ecke Spreeufer, tägl. 10-
22 Uhr

22 Fondue
Spreeufer, tägl. 17-24 Uhr

23 Ehemaliges Palais Schwerin
Molkenmarkt 3 - Erbaut 1704 von Jean
de Bodt für den Staatsminister Otto von
Schwerin. Sitz des DDR-Ministeriums
für Kultur.

Der besondere Stadtrundgang:

Zum Prenzlauer Berg

Länge: ca. 5 km
Dauer: 2 Stunden (ohne größere Pausen)

Zum Prenzlauer Berg, dem dichtestbesiedelten Ost-Berliner Bezirk (185 000 Einwohner), soll unser ausgedehnter Spaziergang führen. Da der Bezirk vom Kriege weitgehend verschont blieb, bietet er mit seinen Häusern und Hinterhöfen aus der Zeit der Jahrhundertwende noch recht viel Atmosphäre.

Vor dem Bahnhof Friedrichstraße ① überqueren wir den Fußgängerüberweg, laufen am Admiralspalast (heute Metropol-Theater) links hoch zur Spree. Vor der Weidendammbrücke biegen wir rechts in die Straße Am Weidendamm ein, die später zum Kupfergraben wird (weiter unten am Kupfergraben interessant das wiederaufgebaute Hegelhaus - hier wohnte lange Zeit der Philosoph Hegel - und das Gustav-Magnus-Haus, ein altes Berliner Bürgerhaus, erbaut um 1760; Gustav Magnus gründete hier das erste physikalische Institut Deutschlands) und halten uns am Wasser bis zum Bodemuseum - es gehört zum Komplex der **Staatlichen Museen zu Berlin** auf der "Museumsinsel". Vor dem Kuppelbau passieren wie die Monbijoubrücke, schlendern die Monbijoustraße entlang bis zur Oranienburger Straße. Links das Haupttelegraphenamt, auf der anderen Seite der Oranienburger Straße die Ruine der einstigen Synagoge (erbaut 1859/66 nach Entwürfen von Knoblauch und Stüler, von den Nazis in der "Kristallnacht" am 9. November 1938 in Brand gesteckt, Wiederaufbau geplant) und die Hauptverwaltung der Ost-Berliner Jüdischen Gemeinde mit einer Bibliothek. Wir halten uns aber rechts bis zum Monbijouplatz. (Auf dem Gelände des rechts von uns liegenden Parkes stand einst das Schloß Monbijou aus dem 18. Jahrhundert; die verbliebenen Reste aus dem letzten Weltkrieg wurden 1960 beseitigt.) Kurz vor dem

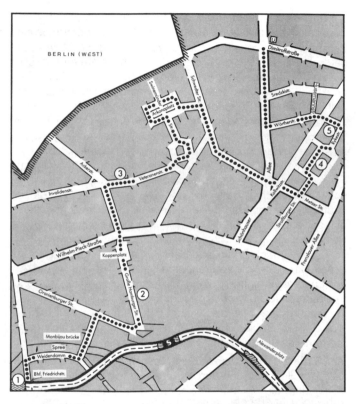

① Bahnhof Friedrichstraße
② Sophienkirche
③ Elisabethkirche
④ Wasserturm
⑤ Synagoge
(»Friedenstempel«)

spitzen Eck wechseln wir auf die linke Straßenseite. Nach wenigen Metern biegen wir links in die Große Hamburger Straße ein. Blickfang ist der hohe Turm der **Sophienkirche** ② - ein schöner Bau aus der Barockzeit. Zunächst geht es am ehemaligen **Alten Jüdischen Friedhof** (von den Nazis zerstört, eine Gedenktafel und einige Grabplatten erinnern an die Vergangenheit) vorbei. Am St.-Hedwigs-Krankenhaus werfen wir einen Blick in die rechts wegführende Sophienstraße, die in den letzten Jahren liebevoll restauriert wurde. Hinter der Auguststraße stoßen wir auf den Koppenplatz. Über die Linienstraße hinweg kommen wir in die Ackerstraße, sie kreuzt die Wilhelm-Pieck-Straße. Eng ist es hier, von alten Mietskasernen geprägt, vom "Altdeutschen Ballhaus" und der "Ackerhalle". An dieser 1886/87 erbauten Markthalle biegen wir in die Invalidenstraße ein, schlendern ein Stück ostwärts, werfen einen Blick auf die Ruine der Elisabethkirche (typische Vorstadtkirche, 1832-34 von Karl Friedrich Schinkel erbaut) ③ . An der Kreuzung Brunnenstraße geht es die Veteranenstraße hinauf. Rechter Hand der Volkspark am Weinberg mit einem Heinrich-Heine-Denkmal und Restaurant. Oben empfängt uns ein Rondell mit der Zionskirche. Wir biegen hinter ihr in die Swinemünder Straße ein. Seit 1971 ist dieser "Kiez" Sanierungsgebiet; hier lohnt sich ein Blick in die modernisierten, entkernten Hinterhöfe. Am Arkonaplatz können wir im **Alt-Berliner Caféhaus** (Wolliner/Ecke Fürstenberger Straße, täglich außer Di, Mi 14-22 Uhr) Rast machen. Dann passieren wir kurz die Fürstenberger Straße, biegen rechts in die Schwedter Straße ein, laufen zum Senefelderplatz runter und überqueren dort die Schönhauser Allee und die Kollwitzstraße. Metzer Straße heißt das kurze Stück bis zur Straßburger Straße. In diese biegen wir links ab, um das nächste Ziel, den 1855 in Betrieb genommenen Wasserturm ④ zwischen Belforter und Knaackstraße zu erkennen. In den unterirdischen Anlagen des Wasserturms fielen 1933 Funktionäre der Arbeiterbewegung dem Terror der Nazis zum Opfer; ein Gedenkstein erinnert daran. Klettert ruhig mal den Hügel hinauf, genießt den Blick auf die Berliner Silhouette um euch herum! Ein Kleinod am Rande: die gut erhaltene Synagoge (der "Friedenstempel") ⑤ in der Ryke-

straße. Wir halten uns weiter nordostwärts, biegen links in die Wörther Straße ein - in der hübsch restaurierten Husemannstraße, die links wegführt, befinden sich das **Friseurmuseum** sowie das kleine **Museum Berliner Arbeiterleben um 1900** - vorbei am Kollwitzplatz (mit einem Denkmal für die Malerin Käthe Kollwitz. An der Stelle ihres im Kriege zerstörten Hauses steht das von ihr entworfene Denkmal "Die Mutter".) bis zur Schönhauser Allee. Bevor wir rechts in diese Allee einbiegen, noch schnell zum Jüdischen Friedhof, linker Hand, an der Schönhauser Allee 23-25 (seit 1827; Grabstätten u. a. des Malers Max Liebermann und des Komponisten Giacomo Meyerbeer).

Wir laufen jetzt die Schönhauser Allee entlang, vorbei am Jugendzentrum an der Ecke Sredzkistraße, Teil einer ehemaligen Brauerei, bis zur lebhaften Kreuzung der Schönhauser Allee mit der Dimitroffstraße und weiteren Straßen. Links, unter der jetzt als Hochbahn geführten U-Bahn, der bekannte Würstchenstand Konnopke. Die Schönhauser Allee, eine alte Einkaufsstraße, ist auch heute noch, insbesondere zwischen den U-Bahnstationen Dimitroffstraße und Schönhauser Allee, eine sehr lebendige Gegend: viele Kneipen, kleinere Geschäfte, Handwerker auf den Hinterhöfen. Die Atmosphäre des Alt-Berliner Arbeiterbezirkes Prenzlauer Berg wird besonders augenfällig in den Seitenstraßen mit dem alten Bestand an Mietskasernen. - Vom U-Bahnhof Dimitroffstraße empfiehlt sich die Rückfahrt zum Bahnhof Friedrichstraße mit der Straßenbahn 46 oder 70.

Museen

StaatlicheMuseen zu Berlin
1080 Berlin, Bodestraße 1-3
Tel. 2 20 03 81

Die "Staatlichen Museen" sind die historischen Ausstellungsstätten Berlins. In den verschiedenen Komplexen der "Museumsinsel" kann sich der Besucher Kunstschätze von der Antike über Kupferstiche des Mittelalters bis zur Gegenwartsmalerei - entstanden in der DDR - ansehen. Sämtliche Abteilungen sind täglich von 9 bis 18 Uhr offen, freitags ab 10 Uhr. Montags und dienstags sind die Museen geschlossen. Eintrittspreis pro Museum: 1,05 Mark.

Zu den Staatlichen Museen gehören:

Altes Museum

(Eingang Lustgarten)

Karl Friedrich Schinkel bekam 1822 den Auftrag, ein Königliches Museum zu bauen. 1830 wurde es feierlich eröffnet. Im Zweiten Weltkrieg ausgebrannt, war die Renovierung 1966 abgeschlossen.

Im Alten Museum befinden sich: Kupferstichkabinett, Sammlungen der Zeichnungen und Druckgrafik, Rotunde mit antiken Statuen, Sonderausstellungen "Kunst der DDR" und "Sammlung Ludwig" (Aachen, BRD), Wechselausstellungen der Neuen Berliner Galerie.

Nationalgalerie

(Eingang Bodestraße)

Ursprünglich sollte der weithin sichtbare Tempel nur Säle zum Feiern und Lernen erhalten. So wollten es Friedrich A. Stüler und Friedrich Wilhelm IV. Doch die Stiftung des Konsuls Wagener (1861) warf die Pläne um. Der eifrige Sammler zeitgenössischer deutscher Malerei hatte zur Auflage gemacht, eine Nationalgalerie zu gründen. Stülers neue Entwürfe wurden nach seinem Tode von Johann H. Strack 1866 bis 1876 verwirklicht. 1944/45 erheblich zerstört, war der Bau 1955 restauriert. Zu sehen sind:

Gemälde und Bilder von Meistern des 19. und 20. Jahrhunderts; Skulpturen, Büsten und Statuen, u. a. von Schadow, Rauch, Begas;

ständige Ausstellung "John Heartfield" (Kabinett); Einzelausstellungen (im Wechsel) bekannter Künstler aus der DDR und dem europäischen Ausland.

Bodemuseum

(Eingang Monbijoubrücke zwischen Weidendamm und Kupfergraben)

Das Kaiser-Friedrich-Museum (erbaut von Ernst v. Ihne, 1897 bis 1904) war zunächst Schlußstein der "Museumsinsel". Initiator war der damalige Direktor der Königlichen Museen, Wilhelm v. Bode. Der neubarocke Bau an der Spitze der Insel fällt durch den Kuppelbau auf. Nach der Zerstörung im Zweiten Weltkrieg Wiederaufbau bis 1953.

Im Bodemuseum sind untergebracht: Ägyptisches Museum, die frühchristlich-byzantinische Sammlung, Skulpturen-Sammlung (Schwerpunkt: Architekturplastik deutscher Länder, aus den Niederlanden, Venedig und Florenz), Gemäldegalerie (italienische Meister 14.-18. Jahrhundert, holländische Meister 17. Jahrhundert), Museum für Ur- und Frühgeschichte.

Pergamonmuseum

(Eingang Brücke Kupfergraben)

Der Altar von Pergamon, Teil eines Zeus-Tempels aus Kleinasien, entdeckt 1876 von deutschen Forschern, ist seit 1929 Mittelpunkt umfangreicher Sammlungen aus dem asiatisch-islamischen Raum.

Die Ausstellung umfaßt: das Vorderasiatische Museum (auch Mo, Di offen), die Antikensammlung (mit Altar von Pergamon; auch Mo, Di zu besichtigen), das Islamische Museum, die Ostasiatische Sammlung, Museum für Volkskunde (mit der Sammlung "Großstadtproletariat").

Schinkelmuseum

In der Friedrichswerderschen Kirche, 1080 Berlin, Werderscher Markt, Mi-So 9-18 Uhr, Fr ab 10 Uhr. Wie die Nikolaikirche ist der neogotische Ziegelsteinbau aus einer Ruine liebevoll restauriert worden. In memoriam seines Erbauers Karl Friedrich Schinkel, der hier in der Bauakademie (abgerissen, heute Areal des DDR-Außenministeriums) lehrte und wirkte.

Otto-Nagel-Haus

1020 Berlin, Märkisches Ufer 16-18, Tel. 2 79 14 02, 10-18 Uhr, Mi 10 -20 Uhr, Fr/Sa geschlossen. Sammlung revolutionärer und antifaschistischer Kunst der Nationalgalerie.

Hugenottenmuseum

1080 Berlin, Platz der Akademie, Tel. 229 17 60, Di-So 10-17 Uhr, Do bis 18 Uhr, So ab 11.30 Uhr. Im Französischen Dom am Platz der Akademie (ehemaliger Gendarmenmarkt) ist die kleine Sammlung "Hugenotten in Frankreich und Berlin Brandenburg" untergebracht. In zahlreichen Dokumenten, Fotos und Bildern wird die Geschichte der französischen Protestanten aufgezeigt.

Märkisches Museum

1020 Berlin, Am Köllnischen Park 5, Tel. 2 75 49 02/24, Mi und So 9-18 Uhr, Do und Sa bis 17 Uhr, Fr bis 16 Uhr.
Das Heimatmuseum Berlins, 1872/74 gegründet. Das Märkische Museum ist eine Fundgrube für jeden, der sich mit Alt-Berlin, seinen Menschen und seiner Geschichte beschäftigt.
Seine Sammlungen von Berliner Porzellan, berlin-brandenburgischen Fayencen sind weit über Berlin und die DDR hinaus bekannt.

Museum Berliner Arbeiterleben um 1900

1058 Berlin, Husemannstr. 12, Tel. 448 56 75, Di, Do, Sa 11-18 Uhr, Mi 11-20 Uhr, Fr 11-16 Uhr. Mittenmang auf dem Prenzlauer Berg veranschaulicht das Märkische Museum, wie sich das Leben eines Arbeiters um 1900 abgespielt hat. Neben einer kompletten Wohnung werden Sonderausstellungen gezeigt.

Friseurmuseum

1058 Berlin, Husemannstr. 8, Tel. 449 53 80, Di 10-17, Mi 10 -18 Uhr, Mo, Do nach Voranmeldung. Museum zum Handwerk des Friseurs.

Museum für Naturkunde

1040 Berlin, Invalidenstr. 43, Tel. 2 89 75 40, Di-So 9.30-17 Uhr. Errichtet 1889. Eines der führenden Naturkundemuseen der Welt mit seinen reichen Schausammlungen: Mineralien, Saurierskelette, Urvogel Archaeopteryx und andere Fossilien, heutige Tierwelt, lebensnahe Schaubilder und Großmodelle von Insekten.

Postmuseum

1080 Berlin, Leipziger-/Ecke Mauerstraße, Tel. 2 31 22 02. 1872 wurde auf Veranlassung des Generalpostmeisters Heinrich v. Stephan eine Modellkammer im Generalpostamt gegründet, aus der sich das Museum entwickelte. Es ist das älteste seiner Art und gibt einen guten Einblick in die Entwicklung des Post- und Fernmeldewesens. Auch das Modell eines Fernsehstudios ist zu besichtigen.

Museum für Deutsche Geschichte

(Ehemaliges Zeughaus) 1080 Berlin, Unter den Linden 2, Tel. 2 00 05 91 App. 373/4, Mo-Do 9-18, Sa/So 10-17 Uhr. Aus dem Waffen-Arsenal der Preußenzeit - geschaffen 1695 bis 1709 - machte Kaiser Wilhelm I. ein Museum über die Geschichte des preußischen Militärwesens. 1944 schwer beschädigt, wurde das Gebäude bis 1965 restauriert. Das "Museum für Deutsche Geschichte" ist seit 1952 im ehemaligen Zeughaus eingerichtet.

Zu sehen sind Ausstellungen zur Geschichte Deutschlands bis 1945 und der DDR aus marxistischer Sicht, ferner eine Gedenkstätte für W. I. Lenin.Der Innenhof ist bekannt durch die 22 Masken sterbender Krieger, gestaltet und ausgeführt von Andreas Schlüter.

Kunstgewerbemuseum im Schloß Köpenick

1170 Berlin, Schloßinsel Köpenick, Mi-Sa 9-17, So 10-18 Uhr, Tel. 6 57 26 51. Überblick über 900 Jahre europäisches Kunsthandwerk bis heute.

Berliner Handwerksmuseum

1020 Berlin, Am Mühlendamm 5, Tel. 21 71 33 09, Mo 10-17 Uhr, Di, Mi 9-17 Uhr, Sa, So 10-18 Uhr. Berliner Handwerk vom Mittelalter bis zum 19. Jahrhundert, Aufbau kleiner Werkstätten mit allem Drum und Dran.

Brecht-Haus Berlin

1040 Berlin, Chausseestr. 124, Tel. 282 99 16, Di-Fr 10-12 Uhr, Do 17-19 Uhr, Sa 9.30-14 Uhr. Arbeits- und Wohnräume von Bertolt Brecht und Helene Weigel. Gleich daneben der Dorotheenstädtische Friedhof; hier liegen beide begraben.

Johannes-R.-Becher-Haus

1110 Berlin, Majakowskiring 34, Tel. 482 61 62, Di 14-18 Uhr, Mi,Do 9-12 und 14-17 Uhr, Fr 9-12 Uhr. Wohnung von J.-R. Becher und Literaturmuseum.

Galerien

Meistens werden Originale und Drucke zum Verkauf angeboten. Beim Kauf bitte beachten: Werke im Wert bis zu 1000,- Mark können ohne weiteres erworben und ausgeführt werden. Dazu den Kassenzettel an der Grenze vorlegen: entweder alles in DDR-Mark (vorher zusätzlich umtauschen), alles in DM-West oder teils-teils.

Austellungszentrum am Fernsehturm
1020 Berlin, Karl-Liebknecht-Straße, Tel. 2 10 42 93, tägl. 10-19 Uhr
Galerie A
1017 Berlin, Strausberger Platz 4, Tel. 4 37 58 32, Mo-Fr 10-18 Uhr (auch Verkauf)
Galerie Unter den Linden
1080 Berlin, Unter den Linden 62-68, Tel. 2 12 45 50, Mo 13-19 Uhr, Di-Fr 10-19 Uhr, Sa 9-13 Uhr (auch Verkauf)
Galerie Mitte
1040 Berlin Reinhardtstraße 10, Tel. 28 60 42, 10-18 Uhr, Sa/So geschlossen (auch Verkauf)
Studiogalerie
1017 Berlin, Strausberger Platz 3, Tel. 4 36 33 70, Mo-Fr 10-18 Uhr. Speziell: Glas und Keramik (auch Verkauf)
Fotogalerie
1017 Berlin, Helsingforser Platz, Di-Fr 11-19, Sa 10-13 Uhr. Wechselnde Fotoausstellungen.

Kulturzentren

Mit Ausnahme von Rumänien haben die Sowjetunion und die sozialistischen Nachbarländer der DDR im Zentrum von Berlin (Ost) feste Häuser eingerichtet, in denen sich die Bevölkerung über das jeweilige Land informieren kann. Das Angebot ist breit - neben Büchereien, Sälen für Filme und Vorträge, Räumen für Kunst- bzw. Foto-Ausstellungen auch Kauf von Schallplatten, Büchern und Kunstgewerbe aus dem jeweiligen Land möglich.

Bulgarisches Kulturzentrum
1080 Berlin (Mitte), Unter den Linden 10, Tel. 2 07 15 05
Haus der Ungarischen Kultur
1020 Berlin, Karl-Liebknecht-Str. 9, Tel. 2 10 91 46
Kulturzentrum der CSSR
1080 Berlin, Leipziger Straße 60, Tel. 2 00 02 31
Polnisches Kulturzentrum
1020 Berlin, Karl-Liebknecht-Str. 7, Tel. 2 12 32 68
Zentrales Haus der Deutsch-Sowjetischen Freundschaft (DSF)
1080 Berlin, Am Festungsgraben 1, Tel. 2 00 10
Haus der Sowjetischen Wissenschaft und Kultur
1080 Berlin, Friedrichstraße 176-179, Tel. 2 21 70, 221 73 20 (Auskunft)

Französisches Kulturzentrum
1080 Berlin, Unter den Linden 37-39, Tel. 2 29 10 09, 2 29 10 20

Oper, Theater, Kabarett

Deutsche Staatsoper
1080 Berlin, Unter den Linden 7, Tel.
2 07 13 61 (Kasse), 2 07 18 28 (Info)
von 12-18 Uhr.
So und Feiertage 16-18 Uhr, Abendkasse 1 Stunde vor Beginn.
Oper, Ballett und Konzert

Komische Oper
1080 Berlin, Behrenstraße 55/57
Tel. 2 20 27 61, 2 29 26 03 (Info),
Kasse (2 29 25 55): Di-Sa 12-18 Uhr,
So nur Abendkasse, Mo geschlossen.
Oper, Musical, Ballett

Berliner Ensemble
1040 Berlin, Am Bertolt-Brecht-Platz,
Tel. 28 80, Kasse (2 82 31 60): Mo-Fr
11-13.30, 14-18 Uhr, Mo bis 17 Uhr,
Sa, So nur Abendkasse.
Modernes Schauspiel (viel Brecht)

Deutsches Theater
Kammerspiele
1040 Berlin, Schumannstraße 13a,
Tel. 2 87 10; Kasse: 2 87 12 25
(Deutsches Theater), 2 87 12 26
(Kammerspiele), Di-Sa 12-13.30,
14-17 Uhr und 1 Stunde vor Beginn
Klassisches und modernes
Schauspiel

Maxim-Gorki-Theater
Foyertheater
1080 Berlin, Am Festungsgraben 2,
Tel. Auskunft: 20 01-0, Kasse
(2 07 17 90): Di-Sa 13-15.30, 16-18
Uhr, Abendkasse 1 Stunde vor Be-
ginn
Schauspiel, Studiobühne

Metropol-Theater
1080 Berlin, Friedrichstraße 101/102,
Tel. 2 00 06 51/Kassenruf: 2 07 17 39,
Kasse Di-Sa 12-13.30 Uhr und 14-18
Uhr, So 16-18 Uhr,
Abendkasse 1 Stunde vor Beginn
Operette und Musical

Volksbühne
1026 Berlin, Rosa-Luxemburg-Platz,
Tel. 2 82 33 94 (Info), Kasse
282 89 78: Di-Sa 12-15.30, 16-18 Uhr,
Abendkasse 1 Stunde vor Beginn
Schauspiel, Theater im 3. Stock

Schauspielhaus Berlin
1086 Berlin, Platz der Akademie, Tel.
2 27 21 57 (Info), 2 27 21 29 (Kasse
Großer Konzertsaal), 2 27 21 22 (Kasse Kammermusiksaal); Kassenzeiten:
Mo-Sa 13-15.30 Uhr, 16-18 Uhr sowie
1 Stunde vor Beginn

Friedrichstadtpalast
1040 Berlin, Friedrichstraße 107, Tel.
2 28 36-0, 2 83 62 10 (Info), Kasse
(2 83 64 74): Di-Sa 13-15.30, 16-18
Uhr, So, Mo 1 Stunde vor Beginn.
Kasse "Das Ei": Tel. 283 64 36
Musical-, Revuetheater

Die Distel
1080 Berlin, Friedrichstraße 101
Tel. 207 12 91 (Kasse), Di-Fr 13-18
Uhr.
"Das" Kabarett der DDR

Grünes Berlin (Ost)

Auch Berlin (Ost) hat innerhalb seiner Stadtgrenzen - nochmals: diese dürfen mit dem Tagesvisum nicht verlassen werden! - viel Natur. Zu empfehlen sind in jedem Fall die folgenden drei Ausflugsziele: der Tierpark Berlin, der Treptower Park und der Müggelsee (kann mit einem Besuch von Köpenick kombiniert werden).

1955 entstand auf dem ehemaligen Schloßpark Friedrichsfelde der **Tierpark Berlin** (Tel. 5 10 01 11, täglich ab 7 Uhr, im Winter ab 8 Uhr; U-Bhf. Tierpark). Auf einer Gesamtfläche von rund 160 ha, zwischen Wald- und Wasserflächen, in Freigehegen und in speziellen Häusern tummeln sich über 6.000 Tiere in fast 1000 Arten. Sehenswert die Eisbärenanlage, die Hirschsammlung, das Terrarium, das Alfred-Brehm-Haus. Im restaurierten Schloß finden oft Konzerte und Vorträge statt.

Der **Treptower Park** liegt an der südlichen Spree zwischen den S-Bahnhöfen Treptower Park, Plänterwald und Baumschulenweg. Hier hat die Weiße Flotte ihren Hafen, hier lädt nach wie vor das Ausflugslokal "Zenner" zur "Weißen" ein, hier gibt es auch wieder im Sommer die Feuerwerk-Show "Treptow in Flammen" von der Brücke zur Liebesinsel. Viele Plastiken stehen dort, 5000 Rosenstöcke blühen in den weiten Anlagen. Inmitten des Parks wurde nach dem Zweiten Weltkrieg die monumentale Gedenkstätte für gefallene sowjetische Soldaten geschaffen, sie wird überragt von einem großen Ehrenmal. Erwähnt sei ferner noch die Archenhold-Sternwarte, die traditionsreiche Berliner Volkssternwarte (früher bekannt als "Treptower Sternwarte").

Der 746 ha große **Müggelsee** im Bezirk Köpenick mit den Müggelbergen ist bevorzugtes Ost-Berliner Ausflugsgebiet, wird von Schiffen der Weißen Flotte befahren und ist Wassersportgebiet. Der 1961 erbaute Müggelturm (30 m) auf dem Kleinen Müggelberg bietet einen schönen Rundblick über den See und die Dahme. Wanderwege führen nach Müggelheim, Rahnsdorf und Friedrichshagen.

Restaurants

Um unnütze Wartezeiten zu vermeiden (Plätze werden im allgemeinen vom Personal angewiesen), empfehlen wir dringend - besonders bei Gruppen - vorher anzurufen und vorzubestellen. Das erspart Ärger und Enttäuschungen. - Damit ihr euch auf Ost-Berliner Speisenkarten auch zurecht findet, kurz einige Erläuterungen: "Goldbroiler" sind Brathähnchen, "Grillette" ist eine Art Hamburger und die "Ketwurst" eine Bockwurst mit Brötchen und Ketchup, wenn man so will eine Art Hot Dog; schließlich: "Krusta" tendiert zur Pizza.

Viele Restaurants, Cafés und Kneipen gibt es im neuerbauten historischen Nikolai-Viertel; sie werden deshalb hier nicht besonders genannt.

Alt-Cöllner Schankstuben
1029 Berlin, Friedrichsgracht 50, 10-24 Uhr, Café, Weinstube (beide klein)
Tel. 2 12 59 72

Arkade
1080 Berlin, Französische/Ecke Charlottenstraße, 10-24 Uhr, Sa 10-1 Uhr, Restaurant, Café, Eisdiele
Tel. 2 08 02 73

Berolina
1026 Berlin, Karl-Marx-Allee 31, Restaurant 6-24 Uhr, Spezialitätenrestaurant 18-2 Uhr, Bar 18-1 Uhr
Tel. 210 95 41

Ermelerhaus
1020 Berlin, Märkisches Ufer 10-12, 11-24 Uhr, Raabediele, Weinstube, Tanzbar
Tel. 2 79 40 36, 2 49 40 47

Ganymed
1040 Berlin, Schiffbauerdamm 5, 11-1 Uhr, Mo erst ab 17 Uhr, Weinrestaurant Tel. 2 82 95 40, unbedingt reservieren.

Haus Berlin
1017 Berlin, Strausberger Platz 1, Restaurant 11-17 Uhr, Stadtkrug 9-24 Uhr, Tanzbar, Nachtbar (19 bis 3 Uhr)
Tel. 4 36 61 13

Internationales Handelszentrum
1080 Berlin, Am Bhf. Friedrichstraße, 9-24 Uhr, Café 9-24 Uhr, Restaurant 11-24 Uhr, Tel. 2 06 20 81/82

Lindencorso
1020 Berlin, Unter den Linden 17, Café 9-18 Uhr, Disco Fr-Di 19-23 Uhr, Tel. 2 20 24 61

Metropol
1080 Berlin, Friedrichstraße 150-153, 6-24 Uhr, Restaurant, Grill, Café
Tel. 2 20 40

Operncafé
1080 Berlin, Unter den Linden 5, 11-24 Uhr, Café, Weinstube, Berliner Kaffeestube
Tel. 2 00 02 56

Grandhotel
1020 Berlin, Friedrichstr. 158-165, 6-24 Uhr, Restaurants: Silhouette, Goldene Gans, Forellenquintett, Stammhaus, Coelln, Café Bauer
Tel. 22 04-0

Palast der Republik
1020 Berlin, Marx-Engels-Platz, 10-24 Uhr, Lindenrestaurant, Spreerestaurant, Palastrestaurant, Bierstube, Weinstube, Bowlingbahn, Cafés, Tanz im Jugendtreff
Tel. 23 80, 238 23 64

Prag
1080 Berlin, Leipziger Straße 48, 9-24 Uhr, Restaurant, Altstädter Bierstuben, Mocca-Stuben (Tschechische Spezialitäten) Tel. 2 29 17 27/32

Pressecafé
1020 Berlin, Karl-Liebknecht-Str. 29, Tel. 244 26 28
Mo-Do 10-24 Uhr, Fr/Sa 10-3 Uhr, So 11-20 Uhr
Café, Bar, Discothek (Di, Do, Fr, Sa ab 19 Uhr)

Ratskeller
1020 Berlin, im Berliner Rathaus, 9-24 Uhr, Tel. 2 12 53 01/212 45 26 (Bestellungen)

Sofia
1080 Berlin, Leipziger Straße 46, 11-24 Uhr, bulgarische Spezialitäten, Tel. 2 29 18 31

Berliner Kaffeehaus
(mit "Suppenterrine"), 1020 Berlin, Alexanderplatz, Tel. 2 12 40 36, tägl. 10 Uhr

Unter den Linden
1080 Berlin, Unter den Linden 14, 6-24 Uhr, Restaurant, Café, Hallenbar. Gutes Eßrestaurant, wirkt preiswert. Tel. 2 20 03 11

Oranienquell
1040 Berlin, Hannoversche Str. 2, Mo-Fr 8-20 Uhr, Tel. 282 91 53, preiswerte Hausmannskost.

Das Gute Buch
1020 Berlin, Alexanderplatz 2 (Alexanderhaus) Tel. 2 12 65 77

Das Internationale Buch
1020 Berlin, Spandauer Str. 2, Tel. 2 10 94 31

Kunstsalon
1080 Berlin, Unter den Linden 37/45, Tel. 229 10 21, Bildbände, Kunstdrucke, auch Schallplatten.

Schallplatten
Nicht nur in den großen Buchhandlungen und Kulturzentren gibt es Schallplatten zu kaufen. Ein weitaus größeres Angebot findet man in folgenden Spezialgeschäften:

Schallplatte am Alexanderplatz
1020 Berlin, Am Alexanderplatz/Ecke Karl-Liebknecht-Straße, Tel. 2 18 29 36/7

Musikhaus Carl-Friedrich Zelter
1020 Berlin, Spandauer Str. 29 (im Nikolaiviertel), gute Auswahl, viel Noten und Musikliteratur

Disco "Melodie"
1080 Berlin, Leipziger Straße 66

Einkaufen

Centrum-Warenhaus am Alex
1020 Berlin, Alexanderplatz 9, Tel. 2 16 40

Buchhandlungen

Buchhandlung im Bahnhof Friedrichstraße
1080 Berlin, Friedrichstraße 142, Tel. 2 29 14 75

Buchhandlung des Ev. Jungmännerwerks
1020 Berlin, Sophienstraße 19, Tel. 2 81 99 41

Freizeit,Erholung

Sport- und Erholungszentrum
1034 Berlin, Leninallee/Ecke Dimitroffstraße
werktags 10-21 Uhr, Sa, So 8-18 Uhr, Tel. 4 32 33 20
Großes Freizeitzentrum mit Schwimmhalle, Wellenbad, Sauna, Kindersportgarten, Bowling, Schlittschuh- und Rollschuhverleih usw.

Berlin (Ost) von A-Z

Alexanderplatz (Alex)
Neun Straßen aus den nördlichen Gebieten Berlins trafen früher vor dem Königstor zusammen. Nach dem Besuch des russischen Zaren Alexander bei König Friedrich Wilhelm III. (1805) wurde dieser alte Wollmarkt und Exerzierplatz umgetauft. Beliebter Treffpunkt ist die Weltzeituhr am S-Bahnhof.

Alte Bibliothek ("Kommode")
Unter den Linden/Bebelplatz - Der jüngste Bau des Friedrichsforums Unter den Linden hatte wegen seiner halbrunden Fassade bei den Berlinern sofort einen Spitznamen weg: die "Kommode". 1780 als Barockbau eingeweiht, dient sie bis heute als Bibliothek mit Lesesaal. Eine Tafel erinnert an den Studenten W. I. Lenin.

Alter Jüdischer Friedhof
Große Hamburger Straße - Von diesem Begräbnisplatz und dem jüdischen Altersheim (1942 Sammellager für KZ-Transporte) ist heute nichts mehr erhalten. Ein Gedenkstein, einige Tafeln an der Mauer der Anlage und das Grabmal für Moses Mendelssohn erinnern an die Vergangenheit.

Altes Palais
Unter den Linden/Bebelplatz - Ehemaliges Wohnhaus von Kaiser Wilhelm I., erbaut 1834-37 von C. F. Langhans im klassizistischen Stil. Heute nutzt es die Humboldt-Universität.

Altes Regierungsviertel
Otto-Grotewohl-Straße zwischen "Linden" und Leipziger Straße - Bis 1945 reihten sich in der Wilhelmstraße die wichtigsten Kanzleien, Palais und Ministerien aneinander. Hier standen die Reichskanzlei, das Außenministerium, das legendäre Hotel "Kaiserhof". Zur Zeit entsteht hier eine Neubausiedlung.

Bebelplatz
Unter den Linden - Das alte Friedrichsforum geht auf Entwürfe von Friedrich II. und Knobelsdorff zurück. Es entstand 1740 bis 1780. Der Platz ist umgeben von der Oper, der St.-Hedwigs-Kathedrale, der Staatsbank, der Alten Bibliothek ("Kommode") und der Universität.

Berliner Dom
Lustgarten/Marx-Engels-Forum - Evangelische Hauptkirche von Berlin (Ost). Julius Raschdorff schuf 1893-1905 an Stelle des alten Schinkel-Doms dieses Gotteshaus im italienischen Renaissance-Stil. 1945 stark beschädigt, wird es z. Zt. noch im Inneren restauriert. Die Taufkirche, das Kaiserliche Treppenhaus und ein Teil der Gruft mit Sarkophagen preußischer Fürsten und Könige sind bereits geöffnet. Kleines Dommuseum.

Berliner Rathaus
Rathausstraße/Am Alexanderplatz - Seit 1869 ist das "Rote Rathaus" (benannt wegen der roten Steine) Sitz der Berliner Statdverwaltung, des Magistrats; ab 1948 jedoch nur für Berlin (Ost) zuständig, als SED-Leute die Stadtverordnetenversammlung sprengten. Markant ist der Turm, interessant der Fries rund um den Bau, eine "Steinerne Chronik", die vieles aus der Geschichte Berlins erzählt. Der Ratskeller ist als gutes Restaurant bekannt.

Brandenburger Tor
Am Pariser Platz - Einziges erhaltenes der 14 Stadttore Berlins. 1788-1791 erbaute Gotthard Langhans dieses Monument im klassizistischen Stil, Vorbild waren die Propyläen in Athen. Quadriga und Reliefs stammen von Gottfried Schadow. Im Zweiten Weltkrieg stark

zerstört, wurde es 1957 restauriert, die Quadriga kam ein Jahr später wieder an ihren alten Platz. Hinter dem Tor, auf der Tiergarten-Seite, verläuft seit 1945 die Sektorengrenze, seit 1961 die Mauer.

Ephraimpalais

Mühlendamm/Poststraße - Zwischen 1761 und 1765 errichtetes Bürgerhaus des Hofjuweliers und Bankiers Friedrichs d. Gr., 1935 wegen der Erweiterung der Mühlendammbrücke abgetragen. Der Wiederaufbau erfolgte unter Verwendung von originalen Fassadenteilen, die Anfang der 80er Jahre im Rahmen des Kulturaustausches von Berlin (West) nach Berlin (Ost) zurückgegeben wurden. Das Haus beherbergt Ausstellungsräume des Märkischen Museums.

Fernsehturm

Am Alexanderplatz - Vier Jahre dauerte es, das beherrschende Wahrzeichen von Berlin (Ost) zu errichten. Der 365 Meter hohe Turm birgt in seiner Rundkuppel Funk- und Fernsehanlagen, eine Aussichtsplattform und ein drehbares Restaurant.

Fischerinsel

Ältester Teil der Doppelstadt Berlin/Cölln - zwischen Spittelmarkt, Gertraudenstraße/Mühlendamm und Friedrichsgracht. Heute ein modernes Wohnviertel, geprägt von Hochhäusern. Gegenüber der Spree, am Märkischen Ufer, liegt das Renommier-Restaurant Ermelerhaus.

Friedrichsgracht

Straße zwischen Werderschem Markt und Gertraudenbrücke. Bis 1945 standen entlang dem Spreekanal alte Häuser aus dem 17. Jahrhundert im Holländerstil. In Höhe der Jungfernbrücke ging die legendäre Sperlingsgasse ab. Vom "Kiez" ist nichts mehr vorhanden - ausgenommen die "Alt-Cöllnischen Schankstuben".

Friedrichstraße

Die einst weltbekannte Geschäftsstraße ist seit 1984 von Baustellen gekennzeichnet. Bis 1990 soll hier der "Boulevard Nr. 1 der DDR-Hauptstadt" entstehen mit Hotels und vielen Läden. Der alte Charakter ist zwischen Weidendammbrücke und Chausseestraße teilweise erhalten.

Friedrichswerdersche Kirche

Werderstraße/Schleusenbrücke - Die Kirche - der erste neugotische Backsteinbau Berlins, 1824-30 nach Entwürfen Schinkels erbaut - ist in den letzten Jahren gründlich restauriert worden. Im Inneren ist eine Ausstellung zum Werk Karl Friedrich Schinkels eingerichtet worden.

St.-Hedwigs-Kathedrale

Zwischen "Linden" und Französischer Straße - Vorbild dieses Rundbaus aus dem 18. Jahrhundert war das Pantheon in Rom. Seit 1930 ist die Kirche Bischofssitz des Bistums Berlin. 1943 zerstört, wurde sie im Inneren umgestaltet und mit Hilfe westlicher Mittel wiederaufgebaut und 1963 eingeweiht. Orgelmusik: Mi 15-15.30 Uhr.

Humboldt-Universität

Unter den Linden - Das ehemalige Prinzenpalais für Heinrich, einen Bruder Friedrichs II., wurde 1810 umgewandelt zur Friedrich-Wilhelm-Universität. Stifter war Friedrich Wilhelm III., einer der Gründer Wilhelm von Humboldt.

Jungfernbrücke

Alte Zugbrücke über den Spreekanal zwischen Friedrichsgracht und Oberwasserstraße. 1789 erbaut, ist sie heute die letzte von neun, die sich einmal über den Kupfergraben und Spreekanal spannten.

Karl-Marx-Allee

Die alte Frankfurter Allee wurde nach dem Krieg bzw. nach Gründung der DDR umgetauft: in Stalinallee. Als "erste sozialistische Straße Deutschlands" mit Bauten des sowjetischen Zuckerbäckerstils ging sie in die Geschichte ein. Am 17. Juni 1953 brach dort auf den Baustellen der Aufstand aus. In der Nach-Stalin-Ära wurde die Straße in Karl-Marx-Allee bzw. Frankfurter Allee umbenannt. Großangelegte Einkaufsstraße mit diversen Läden und Restaurants. Markant die Bauten am Strausberger Platz und am Frankfurter Tor.

Köpenick

Köpenick ist, wie Spandau und Berlin/Cölln, altes Siedlungsgebiet und entstand auf einer Insel im Zusammenfluß von Spree und Dahme. Interessant heute: die Altstadt mit dem neugotischen Rathaus (bekanntgeworden durch den Schuster Wilhelm Voigt, der 1906 als "Hauptmann von Köpenick" den Bürgermeister verhaftete und die Stadtkasse beschlagnahmte), der Ortsteil Kietz mit seinen alten Fischerkaten und die Schloßinsel mit dem Schloß, das ab 1963 das Kunstgewerbemuseum beherbergt.

Kronprinzenpalais

Unter den Linden - Prinzen und Könige wohnten in diesem Palais, das heute Gästehaus des Berliner Magistrats ist. Die Baumeister J. A. Nering, Ph. Gerlach und J. H. Strack hatten an dem Bau gearbeitet. Im Krieg zerstört, entstand das Haus 1968/69 völlig neu nach alten Plänen. An der Rückfront ist die HO-Gaststätte "Schinkelklause" angebaut. Das Portal stammt von Schinkel, es war früher Eingang der ehemaligen Bauakademie.

Leipziger Straße

Die "Leipziger" war früher eine "der", wenn nicht sogar "die" Berliner Geschäftsstraße. Sie führt vom Leipziger Platz zum Spittelmarkt. Nach dem Krieg eine Trümmerwüste, hat sie heute ein modernes Bild, geprägt von Hochhäusern, Geschäften und Restaurants.

Lustgarten

Der Lustgarten zwischen Marx-Engels-Platz, Dom und Altem Museum ist ein weiträumiger ehemaliger Exerzierplatz, beherrscht von der großen Granitschale und flankiert von Baumalleen. Hier trafen sich die Berliner in den 20er Jahren zu Volksversammlungen.

Mahnmal für die Opfer des Faschismus und Militarismus

Unter den Linden - Den Namen hat die ehemalige "Neue Wache" Unter den Linden nicht von ihrem Erbauer, K. F. Schinkel, sondern von der DDR-Regierung. Hier residierte und paradierte unter Kaisers Zeiten die Schloßwache. 1930 wurde der tempelartige Bau zum Ehrenmal. Inmitten des kahlen Raumes brennt eine ewige Flamme, vor ihr sind Tafeln für den unbekannten Soldaten bzw. Widerstandskämpfer eingelassen. Großer Wachaufzug: jeweils Mi 14.30 Uhr.

Marienkirche

Karl-Liebknecht-Straße - Über 700 Jahre alt ist diese Kirche nahe dem Alexanderplatz. Den Turmhelm schuf C. G. Langhans, die Marmorkanzel Andreas Schlüter (1703). Sehenswert in der Turmhalle ist der "Totentanz" aus dem Jahr 1437. Orgelmusik: Sa 16.30-17.30 Uhr (Mai bis Oktober).

Marx-Engels-Brücke

Die alte Schloßbrücke wurde 1945 umbenannt. Entwürfe von Brücke und Geländer stammen von K. F. Schinkel; die 8 Statuen auf den Granitsockeln zeigen Siegesgöttinnen und Krieger.

Marx-Engels-Forum

Eine 210 mal 210 Meter große Parkanlage zwischen Spree und Spandauer Straße. Im Mittelpunkt stehen die beiden Bronzefiguren von Marx und Engels des Bildhauers Engelhardt.

Marx-Engels-Platz

Großes Areal zwischen Spreekanal, Werderstraße und dem Palast der Republik. Hier stand das Berliner Stadtschloß der Hohenzollern, es wurde 1950 von der DDR abgerissen.

Marzahn
Hohenschönhausen
Hellersdorf

Das größte Wohnbaugebiet der DDR ist seit 1977 die Gegend zwischen Hohenschönhausen, Wartenberg, Falkenberg und Hellersdorf. Dort werden bis 1990 die neuen Stadtbezirke Marzahn, Hohenschönhausen und Hellersdorf für Hunderttausende von Einwohnern aufgebaut.

Monbijoupark

Garten des ehemaligen Schlosses Monbijou zwischen Spree und Oranienburger Straße. Kinderschwimmbad, Restaurant, Spielplätze.

Nikolaikirche

Am Molkenmarkt steht die älteste Kirche Berlins aus dem 13. Jahrhundert. Der gotische Bau mit seinen Doppeltürmen hat eine große Halle mit drei Schiffen. Im Weltkrieg zerstört, ist sie nach sorgfältigem Wiederaufbau heute Museum und Konzertsaal.

Nikolaiviertel

Zwischen Marx-Engels-Forum und Mühlendamm, Spree und Spandauer Straße gelegen, entstand hier ein Viertel mit Wohnbauten, vielen Restaurants und historisch zum Teil detailgetreu rekonstruierten Gebäuden, die so hier nicht standen, rund um die Nikolaikirche. Das prächtige Rokokopalais von Ephraim enthält Originalfassadenteile, aus dem 18. Jahrhundert (s. a. Ephraimpalais).

Palast der Republik

Auf der Stelle des Alten Berliner Stadtschlosses (Abbruch 1950) wurde 1973 der "Palast der Republik" gebaut und 1976 eröffnet. Der repräsentative Bau ist 180 Meter lang und 85 Meter breit. In ihm sind Räume für Konzerte und Kongresse, der Plenarsaal der DDR-Volkskammer, das Theater im Palast (TiP),

diverse Gaststätten, eine Jugend-Diskothek sowie eine Bowlingbahn untergebracht.

Pariser Platz

Das alte "Quarré", der Vorplatz des Brandenburger Tores, ist heute ein totes Terrain. Zwar von Touristen aus aller Welt in Scharen besucht, ist vom Flair rund um die Französische Botschaft und dem Hotel "Adlon" nichts mehr übriggeblieben.

Platz der Akademie

(Gendarmenmarkt)

Die Akademie der Wissenschaften der DDR gab dem alten Gendarmenmarkt in den 50er Jahren den neuen Namen. Mit dem Französischen Dom, dem Deutschen Dom und dem Schinkelschen Schauspielhaus galt diese Gegend zwischen Französischer und (heutiger) Johann-Dieckmann-Straße als die schönste Berlins. Die Türme der beiden Kirchen - 1780 von Gontard entworfen - wurden zu Wahrzeichen der Hauptstadt, sie brannten 1944 aus. Die Restaurierung des ganzen Platzes ist inzwischen weit vorangeschritten: das Schauspielhaus und der Französische Dom sind fertig. Am Deutschen Dom wird noch gearbeitet. Von der Aussichtsbalustrade des Französischen Doms (täglich 10-18 Uhr) guter Blick über die Stadt und ins Glockenspiel.

Sophienkirche

In der Großen Hamburger Straße steht die noch einzige im Barockstil erhaltene (und renovierte) Kirche St. Sophien, vollendet 1729-34 durch Johann Friedrich Grael. Auf dem Friedhof liegen u. a. der Komponist und Begründer der Singakademie, Karl-Friedrich Zelter (gest. 1832) und der Historiker Leopold von Ranke.

Staatsratsgebäude

Am Marx-Engels-Platz - In diesem modernen Stahlskelettbau mit dem Eosandertor des alten Berliner Stadtschlosses hat der Staatsrat der DDR seinen Sitz. Das Tor hat für die DDR historischen Wert: Von ihm aus hatte der Kommunist Karl Liebknecht am 9. November 1918 die "Freie sozialistische Republik" ausgerufen und die Straßenkämpfe 1918/19 in Berlin ausgelöst. Kurz zuvor am selben Tag hatte schon der Sozialdemokrat Philipp Scheidemann vom Reichstag aus die "Deutsche Republik" proklamiert.

Ernst-Thälmann-Park

Das Gelände der ehemaligen Gasanstalt an der Dimitroff- und Greifswalder Straße, am Rande des Prenzlauer Berges zu Weißensee, ist in den letzten Jahren zu einer Park- und Wohnanlage umgewandelt worden. Das Ensemble gilt als "Paradebeispiel sozialistischen Wohnungsbaus". Aus alten Verwaltungsgebäuden wurden ein Kulturhaus und ein Heimatmuseum. Um das Thälmann-Denkmal des sowjetischen Bildhauers Lew Kerbel erstreckt sich eine ausgedehnte Anlage mit Teich und künstlichem Wasserfall. Alle wichtigen Einrichtungen sind im Viertel vorhanden: Schule, Schwimmhalle mit Sauna, Bahnhof, Kulturhaus, Buchhandlung und natürlich Restaurants. Interessant auch das neue Zeiss-Großplanetarium (Tel. 43 28 40, Di-So 13-20 Uhr). (S-Bhf. Ernst-Thälmann-Park)

Unter den Linden

Der Große Kurfürst legte 1647 die Straße "Unter den Linden" an, als Verbindung zwischen Stadtschloß und Tiergarten, der noch außerhalb der Stadtmauer lag. 1,5 Kilometer lang, war sie die Promenierstraße der Hauptstadt. Heute hat sie durch die Mauer am Brandenburger Tor ihre ursprüngliche Bedeutung verloren. Sie ist aber nach wie vor die historische Ost-Berliner Prachtstraße. Verschiedene Botschaften sowie gesellschaftliche Organisationen der DDR haben hier ihren Sitz.

Register